JN100423

東欧文学の多言語的トポス

東欧文学の多言語的トポス

井上暁子 編

三谷研爾＋阿部賢一＋藤田恭子＋越野剛＋井上暁子

水声社

目次

II 「中心／周縁」モデルを超えて

編者まえがき

はじめに

本論集は、二〇一八年十月六日に東京大学（本郷キャンパス）で開かれた国内シンポジウム「東欧文学の多言語的トポス――複数言語使用地域の創作をめぐる求心力と遠心力」で行われた報告に加筆・修正を加えたものである[1]。本書のテーマや企図について述べる前に、本企画がたどった経緯をおおまかに紹介したい。

本企画は、東欧のスラヴ言語・文学の研究者六名による日本学術振興会科研費プロジェクト基盤（B）「東欧文学の多言語的トポスをめぐる研究」（課題番号15H03193、平成二七―三〇年度）を出発点とする。平成二十九年度には、「スラヴ・ユーラシア地域（旧ソ連・東欧）を中心とした総合的研究」に採択された「〈シレジア〉の文学史記述に関する総合的研究」（代表：阿部賢一）に本プロジェクトから複数名が参加し、三谷研爾先生と交流する機会に恵まれた。その時の意見交換をもとに右記のシンポジウムの企画案が立ち上がり、三谷先生だけでなく、藤田恭子先生にもご参加いただいて、シンポジウムの実現に至ったのである。

本企画の最大の難題は、参加メンバーの専門領域が、時代・作家・地域・言語の何をとっても一致しないという点にあった。資料の残存状況や研究の蓄積の偏りは、共通の議論の地平を開くことを困難にした。しかし、言語による文化的諸活動を、特定の地域の風土や歴史によって規定しえなくなった現代世界において、あえて「東欧」に着眼し、当該地域の多言語使用状況を背景とする様々な緊張状態を分析し、既成の思考の枠組みを相対化しようとする意識は、科研プロジェクト発足時から共有されていたと思う。代表者の力不足により暗礁に乗り上げることが多く、またシンポジウムから論集刊行まで厳しい時間的制約があったため、すべての報告者の論文を掲載することができなかった。数々の障害にもかかわらず、ご協力下さった三谷先生と藤田先生、常に辛抱強くサポートして下さった阿部先生、並走してくれた越野先生にこの場を借りて心から感謝したい。

本論集のテーマと着想に至った背景

冷戦構造が崩壊し、東欧十カ国が欧州連合に加盟するまでの一九九〇年代から二〇〇〇年代前半は、政治、法、経済面における「新生ヨーロッパ」の統合と拡大が進行する一方で、歴史や文化の錯綜する不均質な集団をいかに統合しうるのかという問いに、人々の関心が向いた時代であった。東欧は、地理的にはいわゆる西（ドイツ、オーストリアなど）と東（ロシア）の中間に位置し、二十世紀においてはナチズムや社会主義に蹂躙された過去を共有する。また、歴史をさかのぼれば、当該地域のかなり広範な部分が、神聖ローマ帝国やハプスブルク帝国といったドイツ系君主の支配領域に属しており、その歴史、経済、文化におけるドイツ語圏の影響は計り知れない。

本書は「東欧」を、民族構成の複雑さはもとより、文化や言語の差異を幾重にも抱え込んだ歴史的空間と捉え、その多言語状況ないし言語的多様性を背景とする様々な文化的営為を、多層的かつ複眼的に論じることをめざしている。周知のように、当該地域は「中央ヨーロッパ Middle Europe」、「中間ヨーロッパ／中欧 Central Europe」、「東欧」、「中東欧」、「中間ヨーロッパ Europe-between」等、様々な名称で呼ばれてきた[2]。これらの歴史的地政学的概念の中から「東欧」を採用したのは、何よりも「日本の読者に分かりやすい」という便宜上の理由であって、時代や地理に制約を設けるためではない。つまり、「東欧」という名称を用いることによって、西と東から当該地域に注がれてきたコロニアルなまなざしや[3]、あてがわれてきた「共生のユートピア」というイメージを可視化し、批判的に検討するのに必要な枠組みとして採用したのである。

もっとも外からあてがわれたコロニアルなまなざしや「東欧イメージ」に対する当該地域の反応は、千差万別だった。比較的まとまりをもった例は、一九八〇年代、東欧出身の亡命知識人らが創出した「中欧アイデンティティ」であろう。ニューヨークやロンドンやパリで出会った彼らは、西でも東でもない「中間性」を強調し、「東欧」という名称を否定することによって、「運命共同体」としての自己像を確立した。例としては、ユーゴスラヴィアの作家ダニロ・キシュのエッセイ「中欧の主題の変奏曲」(一九八六)や、チェコの作家ミラン・クンデラの論文「誘拐された西欧、あるいは中央ヨーロッパの悲劇」(一九八三)のほか、ハンガリーの反体制知識人として生きた詩人ジェルジ・コンラートのエッセイ「反政治」(一九九九)などが含まれる。彼らによる「中欧アイデンティティ」は「危機の時代の運命共同体」であり、持続力をもたなかったとする見解もあるが[4]、二〇〇〇年以降の文学のグローバル化に対抗して旧東欧出身作家が唱えた「中欧の詩学」は、間テクスト的な次元で「中間性」の伝統を継承する共同体意識であった[5]。旧東欧諸国の多くが欧州連合に加盟した二〇〇四年以降は、「中間性」を戦略的に用いて、西欧中心に作られたヨーロッパ像を相対化する作家も出てきた[6]。

しかし、「中欧アイデンティティ」という自己表明や様々な戦略的試みが、英語や「大言語」に支配された文学のグローバル市場に足跡を残す例は、きわめて限られている。「中欧」作家のささやかな抵抗は、易々と商業主義的な「中欧」イメージにすり替えられてしまう。加えて、ベルリンの壁崩壊から三十年がたった今日の欧州では、中東、アフリカからの難民の流入を背景にナショナリズムが高まり、民族、文化の多様性を重んじる価値観自体が失われつつある。

本書はこうした状況を、東欧文学および文化研究の今日的課題について再考する契機とみなし、東欧文化の多様性がもっている特質を、言語による文化活動を手がかりに論じることにした。

本論集のアプローチと方法論について

本書のキーワード「多言語性」は、東欧の指標としてよく耳にする言葉であるが、本書が想定した「東欧の多言語性」は、「独立した民族・言語・文化が複数存在する」という意味での「多元性」とは本質的に異なる。本書ではこの語を東欧の指標として無自覚に用いるのではなく、それがどのような文化的ダイナミクスの中にあり、何を象徴するものとして用いられてきたのかを検討している。

一九九〇年代から二〇〇〇年代、言語・文化の多様性に普遍的価値を見出し[7]、東欧を他者化・神話化する世界的動向の中で、東欧にはしばしば「ゲルマン・ユダヤ・スラヴ文化の混成地域」という特性が指摘された。しかし、そもそも東欧の文化的諸活動は、(個人による)複数言語の使用、ユダヤ系のネットワーク、西欧やロシアの思想および芸術運動との連携等の中で、様々なずれを抱え込みながら発展してきた。二十世紀、小さな国民国家が次々と誕生した東欧では、政治、社会、言語が怒涛の勢いで整備され、文学史記述の需要も高まった。帝国の辺境が集結する地点は、文化闘争のフロンティアにもなった。

国民統合が急速に進行する中、東欧は、地域内部に存在する複数の文化的中心地をつなぐネットワークを拡充しつつ、同時に、東欧の外に存在する各言語圏の「中心」とも影響関係を構築することで発展してきた。そうした文化発展の伝統は、東欧革命以後も、経済や社会の様々な要素と結びつきながら姿や形を変えて存在し続けている[8]。

民族、文化、言語の差異を幾重にも抱え込んだこの地域の文化は、地域内の多言語状況ないし言語的多様性を反映するだけでなく、東欧とその外部の関係、つまり「横のつながり」へ開くことによって説明されうるのではないか。本書はこうした仮説をたて、東欧言語文化の多中心性、あるいは、脱中心性ともいうべき特徴を、言語・文化・民族で分断することなく、可能な限り立体的に、「動態」として描き出そうとしている。「横のつながり」が重なり合い、ずれが生じた場所では、西欧と東欧、国と地域、標準語と方言の間の価値序列の転覆が起こりうるかもしれない、という予想もある。いずれにしても、複数の次元で引き起こされる東欧の「文化的ダイナミクス」において、言語がどのような働きをしているのかが、本書に通底する関心事である。

もうひとつ、本書では可能な範囲で「求心力」と「遠心力」というキーワードを共有している。「求心力」は、文学史記述や少数言語の規範化のような、多様で異質なものをまとめていく運動のことであり、「遠心力」は、そこから逃れていく運動や、既成の概念では捉えられない動き、たとえば、翻訳や流通、それに伴うイメージの変容、地域同士を結ぶネットワークなどを想定している。もっとも言語・文化の交錯する東欧では、中心や周縁も単一化したり固定化したりできるものではない。中心は常に複数に、周縁は新たな中心に変化する可能性を秘めており、両者の運動のベクトルは頻繁に入れ替わり、交錯することが予想される。

冷戦構造の解体後、「個別な歴史＝物語」に対する関心が高まったことは、多くの分野に共通してみられる現象のようだ。東欧史研究においては、イデオロギー化したグローバル・ヒストリーの記述はなりを潜め、国民史や世界史からこぼれ落ちた「諸・歴史＝物語」を通して、既成のイデオロギーの批判的検討に多くのエネルギーが割かれたという。[9] 東欧文学研究においても、「家族」や「地域」といった小さな単位の記憶を題材とする作品が、中央集権的な国民文学の解体を促すものとして論じられている。「横のつながり」に開くアプローチは、それを発展させたものである。すでに地域史研究、[10] 美術・文学[11]の分野で実践されているものの、スラヴ文学者とドイツ文学者が共同で行う研究としては、国内において稀である。

本論集の構成について

本論集の第一部「地域文学史の記述」では、必ずしも共通の歴史や文化をもたない地域がつなぎ合わされ、新たな文化的単位として機能する可能性が、文学史記述を例に論じられる。網羅的に集約する運動の中にも、様々な漏れや偏向的記述があることが明らかにされる。

三谷論文は、「プラハのドイツ（語）文学」を文学史に位置づける試みが、歴史、政治、社会、文化の諸要素と結びつきながら発展してきたプロセスを振り返った上で、近年は、ボヘミア全域の文化的コミュニケーションに着目することによって、「中心（プラハ）／周縁（それ以外のボヘミア外縁部）」という二項対立を超える文学史記述の試みが始まっていると説く。

阿部論文は、二十世紀のチェコを代表する文学者フェリクス・ヴォジチカの構造主義的な文学史観を、理論と実践の両面から検討する。ヴォジチカが構想した文学史とは、社会的に広がり、多様な文化を吸い上げ、読者の意識や他のテクストと関わりながら変化・発展するものであることが明らかにされる。ヴォジチカの理論は、地域の文学史を超えて、十九世紀という「民族復興」の時代のチェコ語文学全体を捉え直す、新たな契機となりうるものであることが指摘されている。

第二部「「中心／周縁」モデルを超えて」では、特定の地域の文化現象と、「超域的なもの」の複雑な関係が、文学テクストの表現を通して明らかにされる。ここでいう「超域的なもの」には、翻訳、流通するイメージや思想、ネットワーク等、特定の地域を超えて世界規模の広がりをもつものだけでなく、地域内に存在する雑種的なものをまとめる理念も含まれる。

藤田論文は、ブコヴィナのユダヤ系ドイツ語詩人と、ドイツ文学の規範との特異な関係性を、彼らの自然省察を例に論じる。ブコヴィナのユダヤ系ドイツ語詩人は、ドイツ文学の正統な後継者という自覚のもとに創作したが、彼らが描く風景は、ゲーテのそれとは必ずしも一致せず、ブコヴィナの地域的固有性によって説明できるものでもない。藤田氏は、ゲーテの自然観に代表される西欧を中心とする思想が、東欧辺境の雑種的文化における差異化の過程で生じたずれの中に、新しい価値を見出している。

越野論文は、ロシア極東とベラルーシの文学における中華街の描かれ方に着目し、辺境地域、言語文化圏、世界規模といった複数の次元において流通するイメージの相互作用を明らかにする。中国語文化圏と接するロシア極東の文学においては、中華街が、種々雑多な要素をまとめる超域性のシンボルとして機能しており、ベラルーシ文学においては、中華街内部における言語の力関係が、ロシア語に凌駕されつつある現代ベラルーシ語という現状に対する皮肉となっていることが指摘される。

井上論文は、二十世紀のドイツ語圏とポーランド語圏における上シレジアのイメージを、文学の流通と、モチーフの描かれ方という二つのレベルで論じる。国家の政治的イデオロギーを反映し、「経済的文化的後進地域」というステレオタイプを踏襲する作品であっても、精霊、鉄道、多言語性というモチーフは、当該地域のトランジット性や多様性を象徴しており、「中心／周縁」という二項対立や、価値観のヒエラルキーに揺さぶりをかける機能を担っていることが示される。

本論集が、国内における東欧文学研究の発展の布石になることを祈ってやまない。

井上暁子

【註】

（1）本まえがきは、『日本スラヴ学論集』第二十三号（二〇二〇年）に掲載されたシンポジウムの報告に加筆したものである。

（2）ジャック・ル・リデー『中欧論——帝国からEUへ』田口晃・板橋拓己訳、白水社、一九九六年、七—一九頁。

（3）西／東から注がれるコロニアルなまなざしについては、以下を参照。高橋秀寿「序文——ヨーロッパの東」、高橋秀寿・西成彦編『東欧の二十世紀』、人文書院、二〇〇六年、七—三一頁。

（4）ジャック・ル・リデー、前掲書、一八—一九頁。

（5）　Tokarczuk, Olga. "Fantom Europy Środkowej przegląda się w literaturze. Czy istnieje powieść środkowoeuropejska?" In: *Perspectives on Contemporary East European Literature: Beyond National and Regional Frames*. Sapporo: Slavic-Eurasian Research Center (Hokkaido University), 2016, pp.17-36.

（6）　Kato, Ariko. "Rewriting Europe: The Central Europe of Yuri Andrukhovych and Andrzej Stasiuk" In: *Perspectives on Contemporary East European Literature: Beyond National and Regional Frames*, op.cit., pp.91-102.

（7）　砂野氏によれば、一九九〇年代から二〇〇〇年代は、世界規模で「多言語主義」という概念に普遍的価値が見出された時代であり、欧州連合の言語政策もその例外ではない。砂野幸稔「序論　多言語主義再考」、『多言語主義再考――多言語状況の比較研究』砂野幸稔編、三元社、二〇一二年、一一―四八頁。とくに一一―一九頁参照。

（8）　以下は、このコンセプトに沿って編まれた論集の一つである。Trojanowska, Tamara et al. (ed.), *Being Poland, A New History of Polish Literature and Culture since 1918*, Toronto & Buffalo & London: University of Toronto Press, 2018.

（9）　高橋秀寿、前掲書、二七―二八頁。

（10）　言うまでもなく、本書のアプローチはノーマン・デイヴィスとロジャー・ムーアハウスの共著『ミクロコスモス――中欧都市のポートレート』において実践されている。この先駆的な研究は、ヴロツワフ／ブレスラウと他の周辺都市や地域との関連や連携、移住、ネットワーク、思想の伝播、鉄道の敷設等についても多くの頁を割いている。Davies, Norman & Roger Moorhouse. *Microcosm. Portrait of a Central European City*, London: Pimlico, 2003.

（11）　以下、例を挙げる。井口壽乃、加須屋明子編『中欧のモダンアート――ポーランド・チェコ・スロヴァキア・ハンガリー』彩流社、二〇一三年。三谷研爾『世紀転換期のプラハ――モダン都市の空間と文学的表象』三元社、二〇一〇年。藤田恭子『〈周縁〉のドイツ語文学――ルーマニア領ブコヴィナのユダヤ系ドイツ語詩人たち』東北大学出版会、二〇一四年。阿部賢一『カレル・タイゲ――ポエジーの探求者』水声社、二〇一七年。

I

地域文学史の記述

ボヘミアとプラハのあいだ

多言語地域におけるドイツ文学史記述をめぐって

三谷研爾

はじめに

おおむね現在のチェコに相当するボヘミアは、「ヨーロッパの心臓部」とも呼ばれる要衝である。その地政学的な位置ゆえに、しばしば大きな動乱の舞台にもなってきた。またここは典型的な中欧の多言語地域でもあった。地図で見ると明らかなように、ボヘミアはスラヴ語世界の西端に当たり、しかもゲルマン語世界に突き出している。中心都市プラハじたい、ウィーンよりも西に位置する。この地域でチェコ人とドイツ人がともに生活した期間は千年近く、ユダヤ人もまた同様に早くから定住していた。ボヘミアを理解する鍵は、言語と文化の多層性とその歴史にある。

しかし、ボヘミアがドイツ語で書かれた文学の歴史のなかで、正面から取り上げられることは稀だった[1]。そもそも文学史とは、言語ナショナリズムを背景に、ようやく十九世紀前半に出現したもので、母語とその文化を共有する民族／民衆から生み出された「国民文学」の歴史の通観を目的としている。とりわけ、まだ国民国家が存在しなかった時期のドイツでは、文学史は政治的現実に先んじて、文化的共同体としての「ドイツ国民」の創出に与かることを期待された。そして、ドイツ帝国が成立した一八七一年以降は、ドイツ国民国家がいかに独特ですぐれた文化伝統を有してきたかを「実証」する学問的言説として機能したのである。

いずれにせよドイツ文学史記述はもともと、ドイツ語とその文化世界が連続的かつ等質的であることを前提に構想されてきた。ある地域を取り上げて、その歴史的・社会的特質を参照しつつ文学を論じることはあっても、それはあくまでドイツ文学のメインストリームに合流する一支脈として語られる。まして、ボヘミアのような多言語地域が記述対象になる場合、強調されたのは文化的重層性ではなく、ドイツ語文化の卓越性である。とはいえドイツは、イギリスやフランスとは異なって地方分権的であり、またドイツ語圏はスイス、オーストリアなども含んでいる。それ以上に、中世後期の東方植民以来、広く中東欧にドイツ人が進出した結果、ドイツ語じたい一種の汎用性を有した時代は長く、じっさい各地に大小さまざまなドイツ語コミュニティが散在していた。こうした歴史が、ドイツ国民文学史における地域の位置づけを問題的なものにしてきたのである。

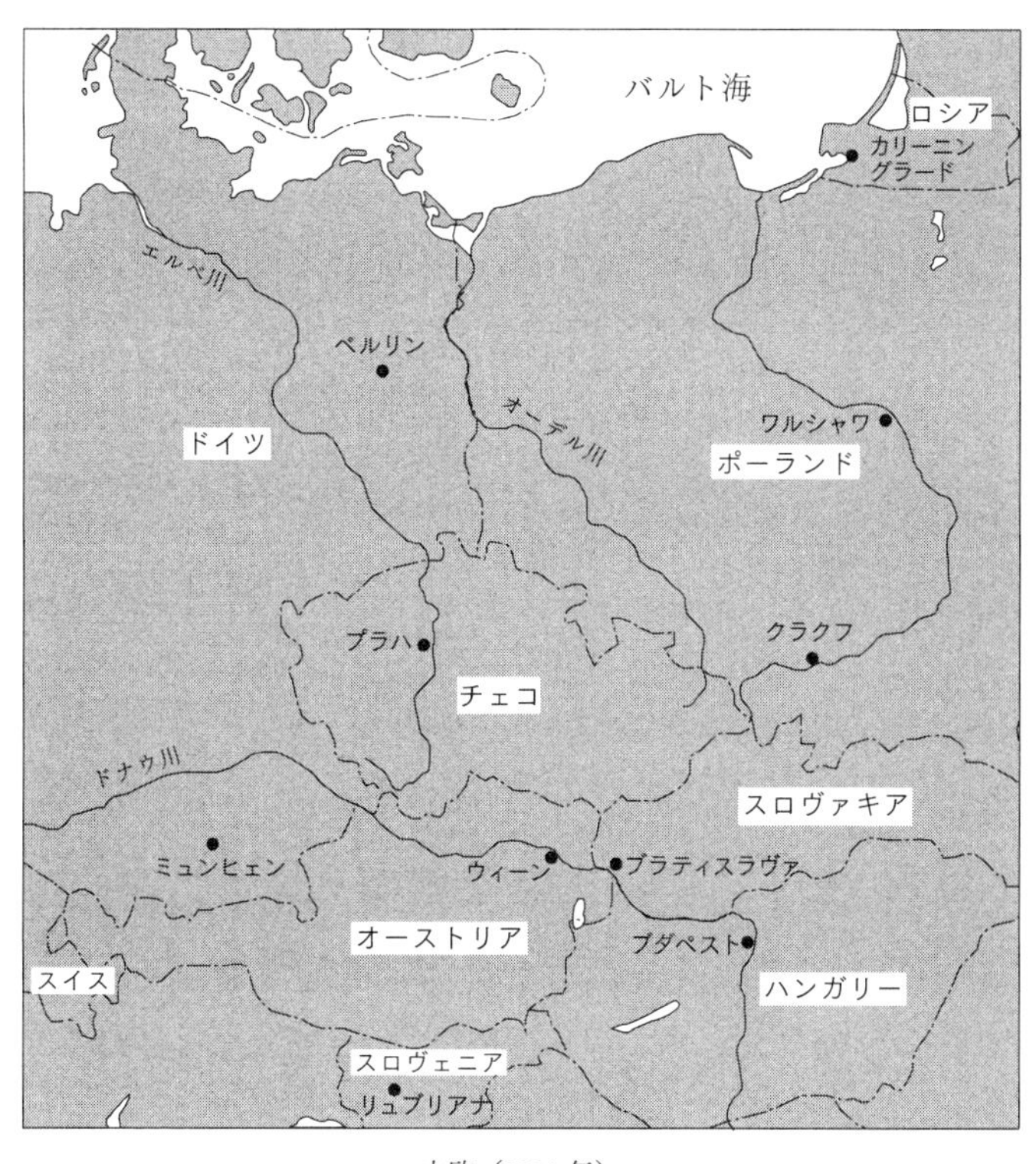
バルト海
ロシア
カリーニン
グラード
エルベ川
ベルリン
ドイツ
オーデル川
ワルシャワ
ポーランド
プラハ
チェコ
クラクフ
ドナウ川
スロヴァキア
ミュンヒェン
ウィーン
ブラティスラヴァ
オーストリア
ブダペスト
ハンガリー
スイス
スロヴェニア
リュブリアナ

中欧（2000 年）

ボヘミアにおけるドイツ文学史記述にきわめて大きな影を落としているのはカフカ、より正確にはカフカとその周囲の作家たちの存在である。彼らは〈プラハのドイツ（語）文学〉と総称される。[2]この文学史的現象をどのように意味づけて記述するか、あるいはそもそも〈プラハのドイツ（語）文学〉という用語じたいの妥当性をいかに説明するかが、多言語地域としてのボヘミアの文化状況にドイツ語文学サイドから接近するうえでの試金石となる。本稿は、その現状について見取り図を描くことを企図するが、いささか遠回りをして、ボヘミア地域とドイツとの関わりに簡単にふれ、さらに〈プラハのドイツ（語）文学〉があらわれた社会文化的背景を見たのち、文学史記述の問題にすすむことにしたい。

後背地ボヘミア

広義のボヘミアを構成するのは、エルベ水系に属するボヘミア盆地とドナウ水系に属するモラヴィア平原である。前者は北西側のエルツ山地と南西側のボヘミア森を境界にして、後者は平原中央を南下するモラヴァ河にしたがって、それぞれドイツ語世界と接している。こうした地理的条件ゆえに、ボヘミアの歴史はドイツ史ときわめて深い関係をもたざるをえなかった。九世紀から十世紀にかけてモラヴァ河流域にあった最初のスラヴ人国家「大モラヴィア」が滅んだのち、ボヘミア盆地に成立したプシェミスル家のボヘミア大公国は、神聖ローマ帝国に臣従し、また西方教会のキリスト教布教を受け入れた。十四世紀にプラハ大司教座が設けられるまで、ボヘミアはオーストリア一円を管轄するパッサウ大司教の下にあった。

十二世紀から十三世紀は、ドイツ人の東方植民が活発化した時代である。歴代のボヘミア大公は、商工業の知識・技術をそなえたドイツ人の来住を歓迎した。彼らは、プラハをはじめとする都市で遠隔地交易に従事するだけでなく、国境づたいに定着した。[3] ボヘミアの外縁地域は山がちで、北西部はさまざまな鉱物資源に、南西部は豊かな森林資源に恵まれている。鉱山の開発はおもにドイツ人来住者たちによって担われ、そこから得られた富は、遠隔地交易とならんで王国をおおいに潤した。十三世紀初め、プシェミスル家はこうした経済的発展をバックにして、ボヘミア王を名乗るとともに選帝侯位を獲得し、神聖ローマ帝国屈指の実力者にのし上がった。ボヘミアは、中欧世界の重要な政治的プレイヤーとして歴史の舞台に躍り出たのだ。十三世紀後半、ときのボヘミア王オタカル二世がハプスブルク家の始祖ルードルフと帝位を争い、けっきょく敗死するという大きな事件が起こるが、それもまた王国の強盛が背景にあればこそであった。

十四世紀前半、ルクセンブルク家のカレル四世が神聖ローマ皇帝を兼ねた時代に、中世ボヘミア王国は最盛期を迎えた。だがその後まもなく、ヤン・フスの宗教改革運動を支持する在地貴族と皇帝およびカトリック教会が対立し、ボヘミアは長い宗教紛争の時代に突入する。一六二〇年、フス派は白山の戦いに破れて最終的に屈服し、皇帝はボヘミアを完全にハプスブルク家領に組み込んだ。強力な再カトリック化が図られ、プロテスタントの信仰を捨てようとしない聖職者・貴族は、所領を没収のうえ追放された。彼らの旧領には新たにカトリックの領主が入り、たびかさなる戦禍による荒廃からの立て直しをすすめる。それはまた支配者層のドイツ化でもあった。じっさい都市を中心にドイツ語とその文化が圧倒的な社会的優位を占める一方、チェコ語はおもに農民たちの言葉として残った。

十八世紀末から十九世紀は、チェコ語文化があたかも不死鳥のように甦り、それが「チェコ人」のナショナルアイデンティティの核となって、ハプスブルク帝国治下での「国民復興」「民族再生」を導いていったとされる時代である。こうした動きは、チェコ語の地位の引き上げ、またチェコ人の政治的自立性を高める要求を生み出した。およそ半世紀にわたるドイツ人との厳しい対立のすえ、最終的には一九一八年にチェコスロヴァキア独立が達成されることになる。他方、この状況をウィーンあるいはベルリンから眺めると、なるほどボヘミアは経済的にはオーストリア国内屈指の先進地域ではあったが、ドイツ語とその文化は一地方のそれにすぎなかった。当時のボヘミアは、ドイツ文化全体のなかでは後背地のひとつにとどまったのである。

じっさい、十八世紀後半以降のドイツの文化史や文学史にあらわれるボヘミアは、著名な芸術家たちの生涯を彩るエピソードの後景でしかない。よく知られているのはモーツァルトの生涯をめ

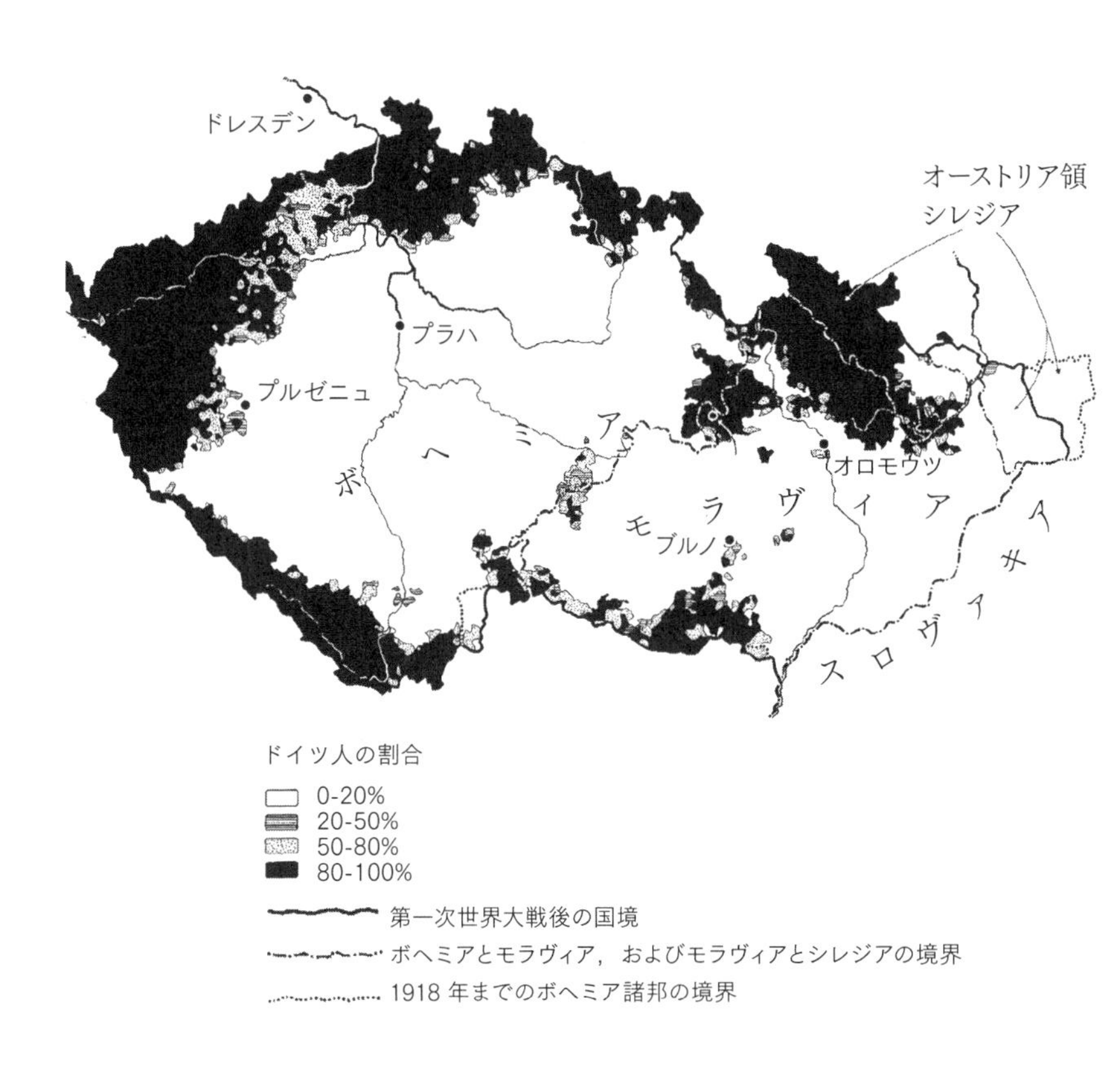

ボヘミアおよびモラヴィアにおけるドイツ人の居住地（1910 年）

ぐるものだろう。一七八六年に初演されたオペラ『フィガロの結婚』は、ウィーンでは作曲家自身が期待したほど評判にならなかったのに引きかえ、プラハでは好評だった。モーツァルトは翌八七年にはじめてプラハに呼ばれ、自作を指揮して大きな成功を収める。街をいく人びとまでが自作アリアを口ずさんでいるのを知ってすっかり気をよくした作曲家は、翌年には書きかけの次作オペラ『ドン・ジョヴァンニ』を持参してプラハを再訪した。このときは友人の別荘に長期滞在して同作を完成させ、みずからの指揮でプラハ初演に臨んで、ふたたび大成功を収めている。モーツァルトのプラハ滞在は前後四回におよび、その厚遇ぶりはウィーンの冷淡さと対照的だった。メーリケの小説『旅の日のモーツァルト』(一八五六年)は、プラハ訪問の途次にある作曲家の姿を描いたフィクションだが、逗留中の城館のまわりに広がる穏やかで自然美に溢れた農村風景は、理想化されると同時に定型化された当時のボヘミア像をよくあらわしている。

ゲーテもまたボヘミアに多くの足跡を残した。出仕先のヴァイマール公国からボヘミア国境までは百キロ強、彼が好んで足を延ばしたのはボヘミア西部の湯治場——カールスバート、フランツェンスバート、テプリツなど——である。宮廷の忙しい政務を離れてのひとときは、『ヴィルヘルム・マイスター』『親和力』『詩と真実』などの主要作品を完成させることを可能にし、さまざまな女性との出会いは『マリエンバートの悲歌』などの作品に結実し、また多数の鉱泉を擁するこの地方特有の火山性の風土が、科学にも造詣の深かった詩人に自然学的な観察をうながした。ゲーテは長い生涯にじつに十七回もボヘミアを訪れ、総滞在日数は一千日を越えるという。[4] ボヘミアの温泉地はいずれも名高く、多くの王侯貴顕や芸術家が保養にやってくる夏の社交場でもあった。一八一二年、カールスバートに滞在中のゲーテがテプリッツを訪れ、たまたま静養にきていたベートーヴェンと出合ったというドイツ文化史の有名な場面も、そうした背景から生まれたものである。

チェコの民族運動が深化拡大しつつあった十九世紀半ば、ボヘミアともっとも深い関わりをもったドイツ語作家はシュティフターだろう。彼はオーストリア国境に近い南ボヘミアのオーバープラーン／ホルニー・プラナーに生まれた。故郷の自然と歴史は、シュティフターの文学にはっきりと刻印されている。彼が『喬木林』（一八四四年）などの短篇で繰り返し描いたのは、ボヘミア、上オーストリアおよびバイエルンにまたがる、ふところ深いボヘミア森の風景である。長篇『晩夏』（一八五七年）は、「美と教養」の獲得をめざす人間教育がひとりの青年を成長させていくというユートピア的な物語だが、その舞台となる老貴族リーザハ男爵の城館があるのも、自然豊かなボヘミアだ。最後の長篇『ヴィティコー』は中世のボヘミアを扱った歴史小説で、のちに在地の有力貴族の始祖となったという若い騎士が、ボヘミア王統の護持のために奔走する姿を描いている。シュティフターはこの大作の執筆準備にたいへん長い時間をかけ、チェコ文化復興の立役者のひとりパラツキーの大著『ボヘミア史』からも多くの材料を得ながら、独自の小説世界を構築したのだった。

とはいえシュティフターが生涯の大半をすごしたのは、ウィーンとリンツである。七年戦争によってシレジアが完全にプロイセンに奪われて以降、かわってボヘミアがオーストリア国内の産業を先導する地域になったものの、宮廷、劇場、大学など充実した文化資本を誇るウィーンの磁力と発信力は絶大だった。ボヘミアに生まれ育ち、やがて帝都に移って活躍する知識人が輩出する状況は、十九世紀を通じて変わらなかったのである。南に下ってウィーンに向かうのでなければ、北上して宮廷都市ドレスデンや出版都市ライプツィヒへ、さらにはベルリンをめざすのが、ドイツ文化の世界ではばたこうとする知識人の典型的な軌跡だった。

プラハ・ドイツ社会

一八六六年の普墺戦争で大きな敗北を喫したオーストリアは、体制をオーストリア＝ハンガリー二重帝国にあらためて、立憲君主制の多民族国家へと舵をきった。そのさい三重帝国体制を望みながら実現できなかったチェコ人は、政治的プレゼンスの拡大をめざしていちだんと激しい動きを見せていく。これにたいし、人口動態からしてすでに劣勢に回っていたボヘミアのドイツ人は、従来の社会的優位を守ろうとして、敵対姿勢を強めた。かくてボヘミアは帝国内でもっとも深刻な紛争地のひとつとなり、とりわけプラハは双方のナショナリズムが烈しくせめぎあう主戦場に化したのである。

両者の対立がもっとも鮮明になったのは、言語政策においてである。二重帝国の一八六七年憲法には、「教育、行政、公共の場における言語の平等」が謳われていたが、問題はその平等をいかにして達成するかにあった。すでに一八六〇年代初頭、史上初のプラハ市政選挙で多数派を占めたチェコ系会派は、チェコ語の地位をドイツ語と同等にまで引き上げるため、初等教育でのチェコ語授業の義務化や市職員にたいする両言語習得の制度化に着手していた。一八八〇年、宰相ターフェは帝国議会でチェコ系会派の支持を取り付けるため、ボヘミアにおかれた国政機関では窓口業務にかぎって両言語を同等に扱うという法令（ターフェ言語令）を出す。だが、いかにも妥協的なこの法令は、根深い対立を解消するものではなかった。一八九七年、宰相バデーニは先の言語令を改訂し、ボヘミアの国政機関では窓口以外の文書処理にあたってもドイツ語とチェコ語を同等とするという新法令（バデーニ言語令）を定めた。これは、両言語の十分な能力を国家公務員の任用要件とすることを意味しており、もともとチェコ語習得に不熱心だったドイツ系住民にとっては、非常に不利な内容と受け止められた。彼らが起こした反対運動は、まもなく帝国各地のドイツ系住民の支持を得て、内閣批判の大合唱となる。バデーニは新言語令を撤回したうえ、退陣を余儀なくされた。だがそうなるとチェコ系住民がおさまらず、プラハでの猛烈な抗議行動は、やがてドイツ系の公的機関や商店を襲撃略奪する大暴動につながっていく。一八九〇年代以降のプラハは、双方のナショナリスト組織が日常的に小競り合いや衝突をくりかえす、いちじるしく政情不安な都市だった。経済面に目を転じると、新興のチェコ人資本家層が民族系の銀行や企業を拠点に厚みを増していく一方、旧来のドイツ人資本家層の存在もあいかわらず大きく、帝国内屈指の産業先進地としてのボヘミアの位置はますます揺るぎないものとなった。とはいえ、ほとんどが実業家を中心とした裕福な中上層市民からなるプラハ・ドイツ社会は[5]、いまや都市人口のうえでは一割にも満たないマイノリティだった。

彼らドイツ系ブルジョワもまた、十九世紀後半のヨーロッパ社会で支配的だった自由主義ナショナリズムを信奉していた。だが、一八八〇年代にプラハ市議会での発言力を失った彼らは、社会生活の舞台をさまざまな結社（アソシエーション）に求め、ドイツ文化にかんする教養知を積極的に共有・発信することで、ナショナルな帰属意識の維持と強化に努めたのである[6]。そこでは、ゲーテによって極点に達したとされるドイツ文化史・文学史理解が広く受け入れられていた。そうしたアソシエーションのひとつ「コンコルディア」は文学活動の保護・奨励団体で、集まっている大学教授や名望家然とした作家たちの志向は文化的保守主義そのものだった。これに強く反発し、汎ヨーロッパ的な新しい芸術潮流に呼応する動きがあらわれたのは、一八九〇年代以降である。担い手となったのは一八七〇年代以降に生まれた中上層市民の子弟だった。

こうした世代論的な構図は、ドイツ語圏の文学的モダニズム全体にひろく見られる。四八年革命ののちに生まれ、ドイツ帝国の成立に前後するブルジョワ自由主義全盛の時代に成人した父親世代は、社会的安定と経済的成功を至上のものとみなし、また科学とテクノロジーの進歩を信じて疑わない楽観主義的な世界観、体面重視の二重道徳のもとで生きていた。しかし親たちが愛好する芸術は、息子からすれば無内容な装飾にすぎず、彼らが賞賛してやまないドイツ文化は精神的閉塞以外のなにものでもない。この状況を根底から突破しなければならない——そう考えたのが一九〇〇年前後に二十歳代を迎えた世代だった。たとえば、世紀末ウィーンの新しい文学潮流の双璧をなすホーフマンスタールとカール・クラウスはともに一八七四年生まれ、ミュンヘンに居をかまえてブルジョワのデカダンス的心情を描いたハインリヒとトーマスのマン兄弟はそれぞれ一八七一年と一八七五年の生まれである。じっさい一八九〇年代以降のドイツ文学史は、自然主義から印象主義をへて表現主義、さらには新即物主義へと展開するあわただしいイズムの交替として記述されるが、主要な文学者の大半は、一八七〇年代から一八九〇年代に生まれた世代に属していた。

プラハのドイツ語作家たちの動きも、ちょうどこの図式のうちに収まる。すなわち、文学団体コンコルディアの世代が一八五〇年代から六〇年代の生まれで、まさに父親世代に相当するのにたいし、息子世代の先頭に立つリルケとその僚友だったパウル・レッピン、オスカー・ヴィーナーなどはおおむね一八七〇年代生まれ、カフカ、マックス・ブロート、オスカー・バウム、エーゴン・キッシュ、エルンスト・ヴァイスなどは一八八〇年代生まれ、そのあとさらに一八九〇年前後以降生まれのヴェルフェル、ヴィリー・ハース、ルートヴィヒ・ヴィンダー、ウルツィディールなどが続くという構図を描くことができる。[7] もちろん各作家の実際の活動は、さまざまな団体・グループや雑誌メディアにまたがっており、したがって世代論だけですべてを語ることはできない。また、たかだか人口三万人程度のプラハ・ドイツ社会を背景にした文学活動にはおのずと限界があり、グループ結成や雑誌刊行といっても、小規模なものにとどまらざるをえない。じっさい彼らの大半にとって、プラハはせいぜいのところ出発地点、場合によっては通過地点のひとつだった。にもかかわらず世紀転換期、とりわけ一九一〇年代初頭に突如として、プラハから一団の新進作家が登場したことは、たしかにひとつの出来事だったのである。[8] ウィーンの批評家カール・クラウスが、プラハ市内のカフェ・アルコに集まることの多かった彼らを、ギリシャ神話の英雄たちになぞらえて「アルコナウテン」と呼んだのはその証左である。[9] それ以外にも「プラハ」を冠するさまざまな呼称があったことからも、[10] その出現が人目を惹いたのはまちがいない。

しかし、そうした作家たちはまもなく、両大戦間の世界史的激動に呑み込まれていった。それは、彼らがあらたな社会的現実への適応を迫られたり、活動拠点を移したり、亡命を選ばざるをえなかったりしたことだけを意味するのではない。一九一八年のハプスブルク帝国瓦解とチェコスロヴァキア独立は、プラハにおけるドイツ語での文学活動の前提条件を大きく変えた。だがはるかに重大な影響をもたらしたのは、一九三九年にチェコスロヴァキアに侵攻したナチスドイツがユダヤ人社会を徹底的に破壊したこと、また第二次世界大戦後に再興チェコスロヴァキアからドイツ系住民があらかた追放されたことである。それによって、プラハを含むボヘミアの多言語的な社会環境が決定的に失われてしまったからだ。やがて東西冷戦が始まると、ドイツ語とその文化の記憶じたい鉄のカーテンの彼方に封印されることになった。

カフカ会議から「世界の友」会議へ

冷戦が本格化した一九四九年の時点で、プラハに残っているドイツ語作家はきわめてわずかだった。かろうじて世界大戦を生きのびた人びとはイギリス、アメリカ、パレスチナ、インドなど全世界に散らばっていた。長い亡命生活のあいだに忘れられた作家もすくなくなかった。そうした状況下、世紀転換期のプラハ・ドイツ社会に光を当てる最初期の重要な仕事は、ヴァーゲンバハの『若き日のカフカ』(一九五八年)である。そのなかの一章「世紀転換期のプラハ」は、カフカやブロートなどユダヤ系ドイツ語作家が生まれる土壌となったプラハの社会環境について、聞き取り調査も交えながら詳述しており、その精力的な資料発掘はのちに出版人として活躍する著者ならではのものだった。[11]なにより、カフカの生活史の再構成が、十九世紀末から二十世紀初頭にかけてのプラハの社会史的・文化史的研究の有力な基盤になることが予示されたのである。

とはいえ、作家の伝記的事実を集積しただけでは、文学史記述にはならない。その意味で決定的な転換点となったのが、一九六五年のゴルトシュテュカーの問題提起である。彼もまた、中欧現代史そのままの起伏に満ちた生涯を送ったチェコのユダヤ系知識人だった。東側ブロックにおけるカフカ文学の評価問題を軸に、文学‐社会の関係についての教条主義的な理解を覆そうとしたゴルトシュテュカーの活動は、いまや歴史的な出来事に属する。彼には大冊の自伝とともに最晩年のインタビューがあるので、ここでは後者によってそのプロフィールを簡単に紹介しておく。[12]

ゴルトシュテュカーは一九一三年、ポーランド国境に近いスロヴァキア北部の農村に生まれた。最初に身につけた言葉はスロヴァキア語で、ハンガリー語やチェコ語やドイツ語はのちに習得した言語だという。やがてプラハに出たゴルトシュテュカーは、大学でドイツ文学を専攻するとともにチェコスロヴァキア共産党に加わった。一九三九年にドイツ軍が侵攻してくると、いちはやくイギリスに亡命し、オックスフォード大学で学位を得ている。彼は第二次世界大戦中は在ロンドンのチェコスロヴァキア亡命政府外交部門で働き、戦後プラハに戻ってからも引き続き外務省に勤務した。共産党の政権獲得後の一九五〇年からは、建国まもないイスラエルで初代大使を務めた。だが翌年、国家反逆罪のかどで逮捕され、終身刑を宣告のうえ強制労働の現場に送り込まれる。スターリンが死んで「雪どけ」が訪れた一九五六年、ゴルトシュテュカーは復権をはたし、プラハ大学ドイツ文学科の教壇に迎えられた。そこで精力的に取り組んだのがカフカ文学の再評価であり、さらにはプラハゆかりのドイツ語作家たちの再発見だったのである。この取り組みは、一九六〇年代後半に「プラハの春」として高揚することになる民主化の機運とも共振しており、それがやがて彼自身を政治の表舞台に押し出していった。そのため一九六八年、ワルシャワ条約機構軍のプラハ占領により民主化運動が封殺されると、彼は二度目のイギリス亡命を余儀なくされる。ビロード革命によって体制が転換した一九九〇年、ゴルトシュテュカーはようやくチェコに帰り、以後二〇〇〇年に亡くなるまでオールド左翼として発言しつづけたのである。

さて、ゴルトシュテュカーの研究者としての功績はなんといっても、一九六〇年代にプラハ近郊のリブリツェで二度にわたって国際研究集会を主宰したことにある。[13] 一九六三年の会合、すなわちカフカ会議は、東側ブロックでのこの作家の評価に根本的な変更を求めるものだった。当時の公式原理だった社会主義リアリズムの立場からブルジョワ的頽廃の典型と批判されていたカフカ文学に、積極的な意味を付与すべきだというのがこの会議の基調である。だがそれは、たんにカフカ受容にとどまらず、一九三〇年代前半におこなわれた表現主義論争——表現主義に代表されるモダニズム芸術は、その主観主義的な性格ゆえにファシズムを準備したという批判とそれへの反批判——に端を発する東側の文化政策の妥当性を問い、さらには社会主義の管理体制が人間疎外をもたらしている現実を認めるかどうか、イデオロギー対立を背景にしたふたつの政治体制の「平和共存」は可能か、などといったきわめてリアルな政治的問題を含意していた。これらの論点はいずれも、やがて浮上してくるチェコスロヴァキアの民主化運動のスローガン「人間の顔をした社会主義」を先取りしている。つまりカフカ会議は、ひとりの作家の評価をめぐる会合にもかかわらず、東側ブロックの政治・社会・文化すべてとかかわる、きわめてアクチュアルな意味を帯びた「事件」だったのである。[14]

この会議をつうじてゴルトシュテュカーが力説したのは、カフカの作品は人間存在一般の不安を抽象的に描いた非歴史な文学ではなく、世紀転換期当時のプラハ・ドイツ社会の歴史的現実に深く根ざした文学であるというテーゼだった。じっさい、会議報告をまとめた論集の題名「プラハの視点からみたフランツ・カフカ」は、こうした主張を端的に要約している。[15] この主張は東側の社会的現実と深く通底している一方、文学研究のなかでより具体的に検証されなければならない。そのためには、カフカとその周囲の作家たちが生きていた当時の社会環境および彼らの文学の全体像を追跡する、より大きな研究プロジェクトを構想する必要がある。はたして二年後の一九六五年、ゴルトシュテュカーはふたたびリブリツェに研究者を招集した。チェコスロヴァキアはもとより、東ドイツ、ハンガリー、ソヴィエト連邦といった東側諸国、西ドイツ、イギリス、フランス、アメリカなど西側諸国、さらにはオーストリアからも参加者を得たこの国際研究集会が「世界の友」会議である。[16]〈プラハのドイツ文学〉が文学史の用語として確立されたのは、まさにこの会議においてである。

会議では、〈プラハのドイツ文学〉の国際的な研究機関をプラハに開設する、近々に第三回目の国際会議を開催するといった提言や予告がなされたが、それらはすべて一九六八年八月のチェコ事件とともに雲散霧消した。ゴルトシュテュカーのもとに集まっていたチェコの研究者たちの大半は執筆を禁止され、職を追われ、あるいは亡命した。[17] しかしながら〈プラハのドイツ文学〉の研究はチェコ国外では、忘れられた作家とその作品の発掘を中心に、地道に続けられた。また、一九八〇年代に入って本格化した校訂版カフカ全集の国際的な編集プロジェクトも、カフカの生活史のいっそう詳細な検証をうながした。これら一連の作業は、ゴルトシュテュカーが設定した文学史的な枠組をおおむね踏襲するかたちで進展したのである。[18]

ゴルトシュテュカーの〈プラハのドイツ文学〉論

ここであらためて、「世界の友」会議でのゴルトシュテュカーの基調報告を振り返っておこう。それはさまざまな論点を含んでいるが、以下では三点に絞ってまとめる。

第一の論点は、文学史的現象としての〈プラハのドイツ文学〉の時代区分にかかわる。これについてゴルトシュテュカーは、若いリルケの登場をもって画期とし、具体的にはその最初の詩集『いのちと歌』が発表された一八九四年を上限とみている。下限は、ナチスドイツ軍がプラハを占領し、作家たちが四散してしまった一九三九年に置かれた。上限についてゴルトシュテュカーは、「リルケの登場以前、すでにプラハでは活発な文学生活が営まれていたが、しかしそれはせいぜい地方的水準を越えるものではなかった」という。[19] ここでいう既存の文学活動とは、先にふれた文学団体コンコルディアを率いていた作家たちのことである。下限は、ヒトラー政権下のドイツを脱出した作家や知識人たちがチェコスロヴァキアを滞在先としていた時期と重なり、亡命文学や反ファシズム文学といった性格が強い。

このように時期を限定したうえでゴルトシュテュカーは、リルケのあとに続く作家としてカフカ、ヴェルフェルを含む三十名あまりを生年順に列挙している。その選択は、「十九世紀の最後の四半世紀のあいだにプラハ、もしくはボヘミア・モラヴィアの地方で生まれ、オーストリア＝ハンガリー帝国崩壊以前のプラハで芸術家としての成熟に決定的な歳月をすごし、またほとんどの場合、このプラハで文学活動に入った詩人および作家」という基準にもとづく。[20] 若干幅をもたせたこの基準によって、幻想小説『ゴーレム』の著者マイリンクとマサリク時代のプラハで作家となったフュルンベルクが加えられた。

第二の論点は、これほど多くのすぐれたドイツ語作家たちが、短期間のあいだにプラハから輩出したのはなぜか、という問題にかかわる。すなわち、作家たちを規定していた社会的・文化的環境をどう理解するかという問題である。

巨視的に見れば彼らが生きた時代は、十九世紀後半以降の列強支配が行き着いたすえ、第一次世界大戦によってロシア、ドイツ、オーストリア＝ハンガリーの三つの帝国が崩壊し、ブルジョワ自由主義の凋落が決定的になった大変動期である。ことにオーストリア＝ハンガリーでは、労働運動など大衆的な政治運動の進展をまえにしてブルジョワ階層の無力が露呈すると同時に、帝国内の諸民族がそれぞれ政治的自立性を強め、急速に求心力が失われつつあった。ゴルトシュテュカーのみるところ、当時のプラハのドイツ社会の特徴は、なにより孤絶にある。つまり、周囲のチェコ社会と断絶しているうえ、その構成員の大半は中上層のブルジョワ市民が占め、しかもほとんどがユダヤ系だったというプラハ・ドイツ社会は、ドイツ語圏のなかでもっとも閉塞的な社会環境――カフカと同世代の著作家アイスナーのいう「三重のゲットー」[21]――にあったとされる。そして、この状況を「底なしの深淵」ないし「破局」と看破した若い知識人たちの鋭敏なリアクションが、〈プラハのドイツ（語）文学〉にほかならなかったのだ。

ブルジョワ知識人の大部分は、ヒューマニズムの思想的遺産をかなぐり捨て、反ヒューマニズム的理念によって置き換えようなどとは、まったく望んでいなかった。だからこそ、あの当時の全世界で多くのブルジョワ芸術家が、帝国主義の到来と時をおなじくして我が身を守ろうとし、またヒューマニズムの伝統を護るために身を挺したのは、必然的な現象だった。そのために彼らは、一七八九年のフランス革命の思想や〔……〕ドイツの古典文学や古典哲学の精神的遺産に立ち戻って、新しい生き方を獲得しようとした。そうでなければ、不安のあまり恐慌をきたして、沈みつつあるブルジョワ・ヒューマニズムの船を捨て、とはいえそのヒューマニズムの遺産を別のかたちで、大荒れの現実を超えて未来へと救出しようとした。だがその未来は、揺るぎないものとは見えていなかったにちがいない。(22)

ここでゴルトシュテュカーは、帝国主義の伸張に直面したブルジョワ知識人の二様の応接を指摘しているが、ふたつ目のものが〈プラハのドイツ（語）文学〉の作家たちを含む表現主義的なモダニズム芸術を暗示しているのは明らかだろう。そうしたモダニズム芸術の価値をまったく認めない東側の公式的見解を覆そうとしたカフカ会議での主張が、ここでも変奏されている。そして、この一節全体をとおして、マルクス主義的歴史把握に即した語彙が散見されると同時に、嵐轟く海での難船という表現主義的なイメージも底流しているところに、ゴルトシュテュカーの心意を窺い知ることができる。

第三の論点は、プラハのドイツ語作家たちの文学活動そのものである。ここでゴルトシュテュカーは、リルケの『時禱集』所収の詩、カフカの小品集『観察』所収の『商人』、およびヴェルフェルの未発表小説『オペラシーズン』などを具体例として挙げ、支配文化の抑圧的性格、そのなかで機械的な日常を送っている、孤立した周縁的な人間を突如とらえる激情、彼らがいだく始原的な自然への回帰や自由への願望といったモティーフの出現を指摘している。

同時にゴルトシュテュカーは、創作活動のみならず、翻訳活動にも大きな価値を認める。それは、チェコ語の文学作品のドイツ語への翻訳だけではなく、音楽・美術などさまざまな領域でのチェコの同時代文化の紹介を含んでいる。彼が、フックスによる美術批評、ブロートの音楽批評やハシェクの『兵士シュヴェイク』の舞台化がもっている意義をあらためて強調し、また第二次世界大戦後もチェコ文化について発信を続けるウルツィディールやミュールベルガーの仕事に言及するのは、そうした文脈においてである。〈プラハのドイツ（語）文学〉が、狭い意味では「チェコ人とドイツ人とのあいだ」、より広い意味では「スラヴ人とそれ以外、ことに西側世界とあいだの、ドイツ語をとおしての文化的媒介者の役割」をよくはたしたという評語は、ゴルトシュテュカーの中欧人としての自覚の片鱗を示すものだろう。[23]

ヴァインベルク／クラップマンの〈プラハのドイツ文学〉批判

「世界の友」会議のさまざまな報告のなかで、ゴルトシュテュカーの基調報告とならんでその後の研究の方向性を予示したのは、クロロプの『「表現主義の十年」におけるプラハのドイツ文学の歴史および前史』である。この論考は全五十ページ、二百三十余項目の注釈が付された、きわめて詳細な文学史的研究で、同会議の報告書中の白眉といってよい[24]。表現主義が芸術の諸分野を席巻した一九一〇年代に焦点を絞りながら、ゴルトシュテュカーが粗描した〈プラハのドイツ（語）文学〉の出現の状況を、作家たちの集散離合の動きを追うことで詳述した労作である。クロロプが先鞭をつけたこうした作業は、一九七〇年代以降すすんだ、忘れられた作家のデータ発掘とそのテクストの整備とならんで、研究に着実な基盤を与えることになった。その結果、とりわけ一九八〇年代このかた、膨大な情報が蓄積されてきている。東西冷戦の終結後はチェコ国内に残存していた文献資料へのアクセス環境が大きく変化し、チェコ側での研究も進展した。こうした状況に応じて、研究じたいしだいにゴルトシュテュカーが提起した議論の枠組を越えていくようになった。なかでも、ヴァインベルクとクラップマンというふたりの研究者が展開している〈プラハのドイツ（語）文学〉見直し論は、今後の文学史記述に大きな一石を投じるものと思われる。

ヴァインベルクはプラハ・カレル大学、クラップマンはオロモウツ大学に所属するドイツ文学研究者である。ふたりは二〇一〇年以降、国際シンポジウムを重ねるなかでしだいにその立場を鮮明にし、ことに「リブリツェを越えて」という副題をもつ挑発的な共同論文「地域－地方」（二〇一四年）で、ゴルトシュテュカーの〈プラハのドイツ（語）文学〉論を徹底的に批判したのである[25]。彼らの年来の議論を集約した『プラハならびにボヘミア諸邦のドイツ文学ハンドブック』（二〇一七年）は、近世以降のボヘミアにおけるドイツ語文学の歴史をたどりながら研究状況を俯瞰し、また今後とも重要と思われるテーマを整理したきわめて意欲的な仕事だ[26]。以下、ヴァインベルク／クラップマンによる〈プラハのドイツ（語）文学〉見直し論をみていこう。

彼らが注目するのは、従来の〈プラハのドイツ（語）文学〉論を支えている中心／周縁の二項対立である。そこでは、プラハという「都市」とボヘミア外縁部という「地方」が対比され、前者からはリルケ、カフカ、ヴェルフェルの三人に代表される世界的な文学が登場したのにたいし、後者の文学はまさしく地方的 provinziell な水準にとどまる、とされていた。ひと・情報が集まる都市部で形成される先進的な文学と、そうしたリソースに乏しい郡部で営まれる守旧的な文学――ヴァインベルク／クラップマンは〈プラハのドイツ（語）文学〉論のこうした分かりやすい図式が、じつは文学的カテゴリーではなく政治的カテゴリーにほかならないという。その図式は、以下のように要約可能だからである。

　プラハのドイツ文学は、ドイツ・ボヘミアないし「ズデーテン・ドイツ」の文学と明確に区別される。前者が自覚的に複数文化の媒介を引き受けていたのにたいし、ドイツ・ボヘミアの文学は「好戦的なナショナリズム」および反ユダヤ主義の立場を変えなかった。それゆえドイツ・ボヘミア文学は芸術的に価値が低い[27]。

ここでいうドイツ・ボヘミアとは、ボヘミアに住みドイツ語とその文化への帰属意識をもつ人びとの集団を指す。もともとボヘミアの住民の自覚は、チェコ／ドイツの区別のない「ボヘミア人」であった。しかし十九世紀半ば以降、チェコナショナリズムが躍進するなかでチェコ系住民が「チェコ人」の自覚を強めていくと、それに対抗してドイツ系住民は、自分たちを「ドイツ・ボヘミア人」と規定したのである。彼らが多く居住しているのはドイツとの国境線に沿ったボヘミア外縁部で、やがてこの地域は第一次世界大戦後にはチェコスロヴァキア独立に反発してドイツに合流する動きを示した[28]。そのさいの地域の総称が「ズデーテン地方」、住民の呼称が「ズデーテン・ドイツ人」である。一九三八年のミュンヘン会談で、ヒトラーがズデーテン地方のドイツへの割譲を英仏に黙認させ、チェコスロヴァキアを解体したことは周知のとおりだ。

ヴァインベルク／クラップマンのみるところ、〈プラハのドイツ（語）文学〉論にみられるドイツ・ボヘミア文学への低評価は、ズデーテン地方すなわちドイツ国粋主義、反スラヴ主義、反ユダヤ主義の温床という歴史・政治認識から導き出されたもので、文学に内在する議論ではない。むしろ、ボヘミア外縁部に根強いドイツナショナリズムの存在を完全に分離・排除するために、〈プラハのドイツ（語）文学〉をひとつの文学史的現象として結像させるという言説戦略が、意図的にとられているというのだ。〈プラハのドイツ（語）文学〉とは、「偏狭」で「過激」なナショナリズムに深くとらえ込まれたズデーテン地方のドイツ語文学の対極に存在しなければならない、反ナショナリズム的なボヘミアのドイツ語文学を、ひとつのまとまった文学史的現象として積極的に打ち出すための呼称なのである。

彼ら［ゴルトシュテュカーなど「世界の友」会議の主宰者］のたったひとつの論点は、地方的なズデーテン・ドイツ文学を分離することである。その分離は、なるほど中心／周縁モデルにもとづいているが、そもそもその中心は「地方的ではない nicht provinziell」と特徴づけられるにすぎない。そうなると、このいわば空虚な中心は、なんらかのヒューマニズム的な態度によって充填されることが必要になる。だがその態度はじっさいには、［〈プラハのドイツ（語）文学〉という］ひとつのまとまった現象の存在を正当化するものではない。[29]

ヴァインベルク／クラップマンにいわせれば、〈プラハのドイツ（語）文学〉とは、ズデーテン地方のドイツ国粋主義に対置するかたちで仮構されたものだ。この仮構にはっきりしたかたちを与えるには何らかの理念が必要であり、それがヒューマニズムだったのである。じっさい当のヒューマニズムなるものは、なるほどブルジョワ自由主義の最良の精神的遺産と評価されてはいるものの、それ以上の内実は明らかではない。〈プラハのドイツ（語）文学〉論の構成からすれば、それも当然だろう。ヒューマニズムの理念に託されているのは、反ナショナリズム、反国粋主義、反ファシズムの旗幟をかかげて知識人たちを糾合する役割だからである。つまり〈プラハのドイツ（語）文学〉論が称揚しているのは、ヒューマニズムの理念的内容ではなくその政治的機能なのだ[30]。言い換えれば、プラハの作家たちが共有していたとされるヒューマニズムは、ほとんどブラックボックス的な観念にすぎない。

このように〈プラハのドイツ（語）文学〉論は、地方的なズデーテン・ドイツ文学とは異なる文学の存在を仮構するものであって、若いリルケから第二次世界大戦前夜の反ファシズム作家たちにいたる多彩な顔ぶれは本来、けっして一枚岩ではない。それどころか、プラハで営まれていたドイツ語による文学活動全体を仔細に検証すれば、その複数的な様相が浮かび上がる。ゴルトシュテュカー自身、すでに「世界の友」会議の席上で次のように洩らしていた。

じっさいまたプラハのドイツ系住民は〔……〕ふたつのグループに分裂していた。すなわち、ずっとそこに住んでいる人びとと一時的に住む人びとである。後者の大部分をなし、また声が大きいのは、地方から出てきてプラハの大学で学んでいる学生たちだった。プラハ在住のこうしたドイツ系住民もまたその文学をもっていた[31]。

つまるところ〈プラハのドイツ（語）文学〉は、プラハでのドイツ語による文学活動の総体ではない。その総体を解明するには、ここではしなくも洩らされた、地方出身のドイツ系知識人青年によ る、強烈なナショナリズムに貫かれた文学をも議論の俎上に載せなければならない。すなわち、プラハのみならずボヘミア全域に広がっていたドイツ語文化の世界が社会文化的な多元性と多層性をそなえていたという事実から出発して、中心／周縁の対立図式によらない理解モデルの構築をめざして具体的事例を検証しなければならない――これがヴァインベルク／クラップマンによる〈プラハのドイツ（語）文学〉論見直しのもっとも核心的な論点である。

彼らがこうした議論を積極的に展開する背景には、プラハ・ドイツ社会の歴史的・文化的環境をめぐる研究状況の変化がある。ゴルトシュテュカーが自説の論拠にしていたアイスナーの「三重のゲットー」説は、プラハ・ドイツ社会を周囲のチェコ社会からまったく隔絶された、いわば大海のなかの孤島ととらえていた。プラハ・ドイツ社会が「壁に囲われた」「温室」のような世界だったとする議論は多いものの、当事者たちの回想はかならずしも一様ではない[32]。なるほど公的領域においてネーションを単位にした社会統合をすすめる力学が強く働いていたのは事実である。しかし他方、ドイツ系の企業や家庭がチェコ系の使用人や労働者を多く雇用しており、複数の言語を使用して日常生活を送っている家族はすくなくなく、またユダヤ系も含めネーションを超える通婚もしばしばおこなわれていた。チェコ社会とドイツ社会の関係をめぐっては、共生か対立かという二分法ではなく、とりわけ私的領域において複雑なニュアンスをもつ接触と交流が展開されてきたことに光を当てる視座が開かれつつあるのだ[33]。

こうした「三重のゲットー」説批判が、〈プラハのドイツ（語）文学〉論の再考にフィードバックされるのはいうまでもない。それは、プラハ・ドイツ社会とそれ以外のドイツ・ボヘミア社会との往来、さらには国境の向こう側のドイツ語社会との交流をも視野に収めることをうながすだけではない。すでにみたようにゴルトシュテュカーは、ユダヤ系ドイツ語作家によるチェコ文化とドイツ文化の媒介を、両者がまったく分断されていることを前提にした「架橋」の試みとして評価してきた。しかし、そのような社会的分断がことの一面であるとすれば、彼らの文化的媒介の仕事もまた、従来とは異なる視点からの意味づけが必要になるだろう[34]。

ヴァインベルク／クラップマンの〈プラハのドイツ（語）文学〉批判は、部分的な修正提案ではない。それは、〈プラハのドイツ（語）文学〉というタームによって明確に限定される単一の現象は存在しない、とする積極的な否定論というべきものだ。だとすれば、問題は根本的に組み直されねばならないだろう。そこであらためて浮上してくるキーワードこそボヘミアという地域概念にほかならない。すなわち、プラハとドイツ・ボヘミアないしズデーテン地方という中心／周縁の対立を文字どおり止揚する、広域的なエリアとしてのボヘミアである。

ヴァインベルク／クラップマンのこうした批判は、おおいに傾聴すべきだが、どこまで具体的に跡づけられるのだろうか。さしあたり彼らは、いくつかの状況証拠を挙げている。[35]

若いカフカが雑誌『芸術の番人』*Kunstwart* を定期購読していたことは、以前からよく知られている。音楽家ワーグナーの甥アヴェナリウスが創刊したこの雑誌の基本的な立場は、都市化や工業化に警鐘を鳴らし、より自然な生活の回復と「純然」たるドイツ性の護持を求めるものだった。カフカが、健全で民族的な芸術の再興をめざす「郷土芸術運動」のひとつの拠点となった『芸術の番人』を愛読し、同誌で紹介された菜食主義や教育改革運動などへの関心を終生もちつづけたのは、たしかである。[36] カフカとその文学は、芸術的モダニズムによってのみ養われたのではない。むしろ、モダニズムと反モダニズムのあいだを往還する彼の姿に注目すべきだというのが、ヴァインベルク／クラップマンの主張である。

それを裏書きする例として彼らは、ブロートの証言を引いている。一九一〇年一月、ブロートはプラハ市内で講演をおこない、カフカも聴衆としてそこに参加した。やがて質疑に移ったとき、カフカは当代の重要な小説家としてヴィルヘルム・フィッシャー以下十五名を挙げたという。そこにはシュニッツラー、ズーダーマン、エーヴェルスも含まれているが、ほかは今日では忘れられている郷土小説や山岳小説の書き手ばかりだ。そうした作家たちが、世紀末ウィーン文学の代表格シュニッツラーと併称されているのは、カフカの見ていた同時代の文学シーンが、都市のモダニズム／地方の反モダニズムという対立の構図とは別物だったことを示している。

同様のことは、第一次世界大戦直後の一九一九年、プラハ時代のリルケの仲間だったヴィーナーが刊行したアンソロジー『プラハ出身のドイツ作家たち』からも窺われるという。[37] そこにはリルケやマイリンク、ブロートやヴェルフェルなどだけでなく、ひとつ前のコンコルディア世代の詩人ザールスやヘッダ・ザウアー、さらにはふた回り上のマウトナーが名を連ねている。[38] ことに北東ボヘミア出身のユダヤ系著作家マウトナーは熱烈なドイツナショナリストで、ベルリン時代にチェコ人を痛烈に非難する小説をいくつも書いたことで知られる。ヴィーナーが、〈プラハのドイツ（語）文学〉論とは異なった見取り図を思い描いていたことは、こうした作家選択からおのずと明らかだろう。

これらの事例をとおしてヴァインベルク／クラップマンが遠望しているのは、ボヘミア全域の文学を把握する新たな視座の構築である。

> 重要なのは、地域を等質なものではなく、異質なものと考えることである〔……〕具体的にい

うと、プラハ、ボヘミア、モラヴィア、ズデーテンシレジアを多様性に富んだひとつの地域としてとらえること、その地域内の交流プロセスを見ていくこと、その場合に同地域のチェコ語文学を無視しないこと、さらにまたこの地域と他の地域とのコミュニケーション過程にも目を向けること——たとえばプラハがヨーロッパモダニズムの結節点として、ベルリン、パリ、ウィーンなどの諸都市と相互交流のなかにあったことに焦点を当てる——である。[39]

綱領風のこの一節でとくに重要なのは、地域の異質性 Heterogenität が強調されている点だろう。というのも、そもそも従来の地域文学史は、地域が文化的に等質であることを暗黙の前提にしていたからである。あるいは、なんらかの歴史的・文化的同質性が見いだされる領域をひとつの「地域」として画定し、他から区別してきたというほうが正確かもしれない。国民文学史がその起源からして、国民の文化的等質性や歴史的連続性を根拠づける言説であったことは、最初に述べたとおりである。これにたいし地域文学史はいっそう強い政治性をそなえた言説として、とりわけ第二次世界大戦後、ドイツ文学史記述に難題を突きつけることになった。

地域は、文化的な同一性(アイデンティティ)をもっともよく体現している空間として表象される。ドイツ文学史の場合、この表象が文化の不変性や連続性、ときに健全性や本来性といった観念と密接に結びついて、政治的含意をおびることはすくなくなかった。とりわけ工業化が進展した一八四〇年代以降の文学を語るさい、「自然的」で「根源的」な地方Provinzが、浮薄で虚偽にみちた都市に優越する生活世界として対置され、郷土文学の価値がさかんに称揚された。地域あるいは地方は、人間に文化的アイデンティティを回復させる親密な社会空間であり自然景観とみなされたのである。当の地域が多言語環境にあれば、地域を語ることはおのずとその地のドイツ文化の卓越性を強調する議論と共振する。この場面では、地域の文化的アイデンティティをめぐる言説は、いとも容易にナショナルアイデンティティをめぐる言説へと置換される。

じっさい地域に着目した最初の本格的な文学史記述は、ドイツ帝国成立直後に刊行されたアルザス文学史だという。[40] それは、ドイツによるアルザス／エルザスの領有を、文学史によって正当化する試みにほかならなかった。第一次世界大戦直前から刊行が始まったナードラーのドイツ文学史は、地域を足がかりに国民文学史を通観するという構想のもとで、中東欧各地に散在するドイツ文学に広く眼を配った大著である。[41] 同書の基調は、ナチズムが唱えたドイツ民族の生存圏という発想に酷似しており、著者自身も改訂のたびに「血と大地」イデオロギーへの親近を強めた。こうした地域文学史の存在が、第二次世界大戦後のドイツ文学史記述に大きな負の影を落としたのはいうまでもない。じじつ地域文学とその歴史という主題は、ナチズムにつらなるものとして忌避され、一時はまったく顧みられなくなった。この状況は一九七〇年代以降すこしずつ変化したものの、とりわけボヘミアやシレジアのような多言語環境にあったドイツ語文学を議論することは簡単ではなかった。[42]

そこでは、ドイツ語で書くという行為じたい、作家の言語的・文化的な帰属意識の決定的な表出と理解され、つまるところ地域におけるナショナルアイデンティティの問題に絡めとられてしまいがちだからである。

このような事情は、ヴァインベルク／クラップマンも十分承知のうえにちがいない。そこで彼らは、〈プラハのドイツ（語）文学〉に代えてボヘミア全域を対象とする新たな枠組を設定するにあたり、なによりまず地域の文化的異質性を強調する。そして、そうした異質性の検証をすすめるべき場として、文化的コミュニケーションのプロセスに焦点が当てられる。つまり、文化情報の受け渡しの前提となる環境、実際の受け渡しのなかで生じる文化情報の変容、その情報を受け取った結果おこる環境の変化という連続的なプロセスが、具体的に考察されねばならないのだ。ヴァインベルク／クラップマンのみるところ、こうした文化的コミュニケーションは広義のボヘミアを構成する四つの歴史的領域——プラハ、ボヘミア、モラヴィア、ズデーテンシレジア（旧オーストリア領シレジア）——のあいだを往来するものであり[43]、またドイツ語世界とチェコ語世界のあいだの交渉も視野に収めていなければならない。そのなかでプラハは、もちろん中心都市として重要な位置を占めるものの、それはさまざまに輻輳するコミュニケーションの結節点としてであって、〈プラハのドイツ（語）文学〉論が提示したような、特殊で閉鎖的な世界としてではない。

ヴァインベルク／クラップマンのもっとも新しい成果は『プラハならびにボヘミア諸邦のドイツ

文学ハンドブック』だが、ハンドブックという性格上、具体的な事例分析はない。二〇一四年刊の論文集『プラハ―地方』を手がかりに、彼らの構想が進みつつある方向を確認すると、書籍・雑誌の出版ネットワークと制度的な文学研究ネットワークが重視されている。つまり、文化情報の受け渡しがどのようにおこなわれたかを検出する道筋として、一方に一般読者をターゲットにした書籍出版の動きを、もう一方に専門家のあいだでの学知の共有や人的交流を配して、それぞれ具体的な事象に即して検証を重ねるというのが、もっかの研究のアウトラインである。こうした方向で文化的コミュニケーションの経路を明らかにしたうえ、個別の作家の活動や文学テクストの内容の分析に向かうものと思われるが、その成果が出てくるのはもうすこし先になるだろう。

*

いかなる文学史も、そのつど構成されたものにすぎず、したがってつねに書き換えられていく。その意味で、ゴルトシュテュカーが描いた〈プラハのドイツ（語）文学〉の構図が、ヴァインベルクたちによって更新されるのは当然だろう。ゴルトシュテュカーの主張は、一九六〇年代における東側ブロックの文化政策と深く切り結ぶなかで提起されたものであり、それゆえの政治性を色濃くおびていたのはまちがいない。それでは、ヴァインベルク／クラップマンの主張はどうか。その背景には、チェコ国内におけるプラハの特権的な位置を相対化して、ボヘミアがかつて全域で共有していた多言語環境の積極的な位相を再確認する、ひいてはプラハ以外の地方の文学的ポテンシャルを強調するという新たな文化戦略が働いているのではないか。今の時代、ゴルトシュテュカーが対決したような明確な批判対象は見えにくい。しかしヴァインベルク／クラップマンの立場もまた、難なくすすむかに思われたヨーロッパ統合が大きな岐路にさしかかりつつある二〇一〇年代の文脈に規定されているはずである。だが、ボヘミアにおけるドイツ（語）文学の真の様相を明らかにすると胸を張る彼らの議論には、自身の立場からいちど距離をとり、そのアプローチじたいを対自化する契機は窺われない。つまり、なぜほかならぬボヘミアの地域とその文化状況が検証されねばならないのか、という問いは見当たらない。このもっとも素朴な疑問が回帰してきたとき、ヴァインベルク／クラップマンのボヘミア地域文学史構想は真にその軽重を問われるにちがいない。

［註］

（1）　ボヘミア地域文学史の嚆矢は Wolkan, Rudolf: *Geschichte der deutschen Literatur in Böhmen und Sudetenländern*. Augsburg 1925. ボヘミア地域を詳細に扱ったドイツ文学通史として Nadler, Josef: *Literaturgeschichte der deutschen Stämme und Landschaften*. Bd.4. Regensbur 1928; Castle, Eduard (hg.): *Deutsch-österreichische Literaturgeschichte. Ein Handbuch zur Geschichte der deutschen Literatur in Österreich-Ungarn. Von 1890 bis 1918*. Wien 1937 がある。

（2）　研究者により〈プラハのドイツ文学〉Prager deutsche Literatur とも〈プラハのドイツ語文学〉Prager deutschsprachige Literatur とも呼ばれる。これまで著者は、「ドイツ文学」がおびるナショナルな含意を排し「ドイツ語によって書かれた文学」を明示する立場から、後者を用いてきた。本稿では、書名あるいは引用の訳出にあたっては原語に即し、それ以外の場合は〈プラハのドイツ（語）文学〉と表記する。

（3）　ドイツ人は、隣接するバイエルン、フランケン、上ザクセン、シレジア、オーストリアの各地方から来住して、国境を越えてすぐの場所に定着することが多く、もともとの出身地の方言や民俗を保持した。

（4）　Vgl. Meier, Jörg: *Im böhmischen Zauberkreise. Goethes Reisen nach Böhmen*. In: Hörner, Petra (hg.): *Böhmen als ein kulturelles Zentrum deutscher Literatur*. Frankfurt a.M.: Peter Lang 2004, S. 109f.

（5）　ハプスブルク帝国時代最後の国勢調査（一九一〇年）によれば、プラハ市の総人口は四十四万二千人、そのうちドイツ系市民は三万二千人で、割合にして七パーセント程度である。Vgl. Cohen, Gary: *The Prague Germans 1861-1914. The Problems of Ethnic Survival*. Princeton: University of Princeton Press, 1981.

（6）　三谷『世紀転換期のプラハ　モダン都市の空間と文学的表象』、三元社、二〇一〇年、八一頁以下を参照。

（7）　Vgl. Fiala-Fürst, Ingeborg: *Der Beitrag der Prager deutschen Literatur zum deutschen literarischen Expressionismus*. St. Ingbert: Röhrig Universitätsverlag 1996, S. 13.

（8）　これには、ブロートが自分の周囲の若手作家をライプツィヒやベルリンの新進出版人（たとえばエルンスト・ローヴォルトやクルト・ヴォルフ）に、積極的に斡旋したことも大きくあずかっている。ことにクルト・ヴォルフ書店が手がけた表現主義の文学叢書「最後の審判の日」には、カフカなどプラハの作家たちの作品が多く含まれていた。Vgl. Wichner, Ernest / Wiesner, Herbert (hg.): *Prager deutsche Literatur. Vom Expressionismus bis zu Exil und Verfolgung*. Berlin: Literaturhaus Berlin, 1995, S. 13-37. また、三谷『境界としてのテクスト　カフカ・物語・言説』、

鳥影社、二〇一四年、一四三頁以下も参照。

(9) 大船アルゴーに乗り組んで金羊皮を求める冒険に出かけたイーアーソンやヘラークレスなどギリシャ神話の英雄たちは、「アルゴナウテン」と呼ばれる。

(10) Vgl. Escher, Georg: “*In Prag gibt es keine deutsche Literatur.*“ *Überlegungen zu Geschichte und Implikation des Begriffs* Prager deutsche Literatur. In: Becher, Peter u. a. (hg.): *Praha – Prag 1900-1945. Literaturstadt zweier Sprachen.* Passau: Karl Heinz, 2010, S. 201f.

(11) Vgl. Wagenbach, Klaus: *Franz Kafka. Eine Biographie der Jugend, 1883-1912.* Bern: Francke 1958.（邦訳『若き日のカフカ』、中野孝次／高辻知義訳、筑摩書房、一九九五年）。ヴァーゲンバハは同書執筆にあたって膨大な画像資料を収集しており、それをカフカ写真集としてみずから出版した。この写真集はそのつど増補され、第三版まで刊行されている。Vgl. Ders.: *Franz Kafka. Bilder aus seinem Leben.* 3. erw. Ausgabe. Berlin: Wagenbach 2008.

(12) Vgl. Goldstücker, Eduard: *Prozesse. Erfahrungen eines Mitteleuropäers.* München: Knaus 1989. Ders.: *Von der Stunde der Hoffnung zur Stunde des Nichts. Gespräche.* Wuppertal: Arco 2009.

(13) カフカ会議が誰の発意によるものかについては、近年いろいろ議論されている。Vgl. Becher, Peter u.a. (hg.): *Handbuch der deutschen Literatur Prags und der Böhmischen Länder.* Stuttgart: Metzler 2017, S. 24.

(14) カフカ会議をめぐるさまざまなコンテクストについては三谷『世紀転換期のプラハ』、一八頁以下を参照。

(15) Vgl. Goldstücker (hg.): *Franz Kafka aus Prager Sicht 1963.* Praha: Verlag der Tschechoslowakischen Akademie der Wissenschaften 1965.

(16) 会議の呼称 Weltfreunde は、一九一一年に発表されたヴェルフェルの第一詩集 *Weltfreund* にちなむ。ただし、名詞複数形になっていることに注意。

（17） Vgl. Václavek, Ludvík: *Zur Vielschichtigkeit der Kafka-Rezeption in der ČSR*. In: *Franz Kafka in der kommunistischen Welt. Schriftenreihe der österreichischen Franz Kafka Gesellschaft*, Bd.5. Wien: Böhlau 1993, S. 144ff.

（18） ゴルトシュテュカーの提示した枠組に沿って書かれた文学史的記述として、たいへんバランスがよいのは、Sudhoff, Dieter / Schardt, Michael (hg.): *Prager deutsche Erzählungen*. Stuttgart: Reclam 1992. の序章 Einleitung である。

（19） Goldstücker: *Die Prager deutsche Literatur als historisches Phänomen*. In. Ders. (hg.): *Weltfreunde. Konferenz über die Prager deutsche Literatur*. Praha: Academia 1967, S. 22.

（20） Ebd., S. 21.

（21） パーヴェル・アイスナー『カフカとプラハ』金井裕／小林敏夫訳、審美社、一九七五年、二三一―二三六頁を参照。

（22） Ebd., S. 28f.

（23） Ebd., S. 41. ゴルトシュテュカーが自伝の副題を「ある中欧人の経験」としていることに留意されたい。

（24） Krolop, Kurt: *Zur Geschichte und Vorgeschichte der Prager deutschen Literatur des „expressionistischen Jahrzehnts“*. In: Goldstücker (hg.): *Weltfreunde*. S. 47-96.

（25） Vgl. Krappmann, Jörg: *Anschwellender Bocksgesang. Eine Prager Converversion mit Rilke*. In: Almut Todorow u. a. (hg.): *Prag als Topos der Literatur*. Olomouc 2011, S. 31-45. Krappmann, J. / Weinberg, Manfred: *Region – Provinz. Die deutsche Literatur Prags, Böhmens, Mährens und Sudentenschlesiens jenseits von Liblice. Mit Anmerkungen zu Franz Kafka als Autor einer Regionalliteratur*. In: *Prag – Provinz*.

（26） S. Anm. 11.

（27） Weinberg, Manfred: *Die Geburt der „Prager deutschen Literatur“ aus der Dichotomie Zentrum – Peripherie. Zur Weltfreunde-Konferenz in Liblice (1965)*. In: *Pager Moderne(n)*, S.220.

（28）　すでに一八八〇年代から、ボヘミア行政をドイツ系住民の多い地域とチェコ人が多い地域とのあいだで分割するという発想は存在していた。

（29）　Krappmann / Weinberg: *Region – Provinz*. S. 36.

（30）　「世界の友」会議において、ゴルトシュテュカーとならんで基調報告をおこなった文学史家ライマンは、「もし〔リルケとカフカの〕ふたりがこの〔ファシズムの支配という〕苛酷な時代をなおともに生きたとすれば、彼らは現代の野蛮に敵対する陣営に投じただろう」と述べている。Vgl. Reimann, Paul: *Die Prager deutsche Literatur im Kampf um einen neuen Humanismus*. In: Goldstücker (hg.): *Weltfreunde*, S. 8.

（31）　Goldstücker: *Die Prager deutsche Literatur als historisches Phänomen*. In: ebd., S. 25.

（32）　たとえばキッシュは、当時のプラハ社会はまったく分断されていたと証言するが、ブロートはそれを否定している。Vgl. Kisch, Egon Erwin: *Deutsche und Tschechen*. In: Ders.: *Marktplatz der Sensationen*. Berlin: Aufbau 1967, S. 84. Brod, Max: *Der Prager Kreis*. Frankfurt a. M.: Suhrkamp 1979, S. 41f. Born, Jürgen: *„Insel" und „Treibhaus": Sprachbilder der Kennzeichnung der Prager deutschen Literatur*. In: *Prager deutschsprachige Literatur zur Zeit Kafkas. Schriftenreihe der österreichischen Franz Kafka Gesellschaft*, Bd. 4. Wien: Braumüller 1991, S. 18-26.

（33）　Vgl. Koeltzsch, Ines: *Geteilte Kulturen. Eine Geschichte der tschechisch-jüdisch-deutschen Beziehungen in Prag (1918-1938)*. München: Oldenbourg 2012, S. 7ff.

（34）　この点についてヴァインベルクは、スペクターの研究を引きながら論じている。Vgl. Weinberg: *Geteilte Kultur(en)? Prager Zwischenräume*. In: Bernd Stiegler u.a. (hg.): *Laboratorien der Moderne. Orte und Räume des Wissens in Mittel- und Osteuropa*. Paderborn: Fink 2016, S.128f. Spector, Scott: *Prague Territories. National Conflicts and Cultural*

Innovation in Franz Kafka's Fin de Siècle. Berkeley: University of California Press 2000.

（35） Vgl. Krappmann / Weinberg: *Region – Provinz*. S.40-45.

（36） Vgl. Stach, Reiner: *Kafka. Die frühen Jahre*. Frankfurt a. M.: S. Fischer 2014, S. 214-218. ギムナジウム在校中のカフカに『芸術の番人』を読むように勧めたのは、当時もっとも親しかった同級生オスカー・ポラックである。

（37） Vgl. Wiener, Oskar (hg.): *Deutsche Dichter aus Prag. Ein Sammelbuch*. Leipzig: Strache 1919.

（38） カフカはこのアンソロジーには含まれていない。

（39） Krappmann / Weinberg: *Region – Provinz*. S. 21f.

（40） Vgl. Scherer, Wilhelm / Lorenz, Ottokar: *Geschichte des Elsasses von den ältesten Zeiten bis auf die Gegenwart : Bilder aus dem politischen und geistigen Leben der deutschen Westmark*. Berlin: Dunker 1871.

（41） ナードラーの文学史については、三谷『境界としてのテクスト』、二一一頁以下を参照。

（42） ヴァインベルク／クラップマンはこの問題をめぐる研究史についても検討しているが、本稿の趣旨からは外れるので、ここでは立ち入らない。Vgl. Krappmann / Weinberg: *Region – Provinz*. S. 23ff.

（43） 彼らはこの問題設定を宣揚するため PDBDMDSSL (Prager deutsche, böhmisch-deutsche, mährisch-deutsche und sudeten-schlesische Literatur) という略称も提案しているが、これは定着をみるにはいたっていない。Vgl. ebd., S. 51.

［図版出典］

p.5——大津留厚編『中央ヨーロッパの可能性——揺れ動くその歴史と社会』、昭和堂、二〇〇六年、三二頁にもとづいて作成。

p.9——三谷『世紀転換期のプラハ』、三元社、二〇一〇年、九五頁にもとづいて作成。

ボヘミアにおける文学史の系譜

フェリクス・ヴォジチカの「文学史」論をめぐって

阿部賢一

ボヘミアの「文学史」

チェコ、あるいはボヘミアと呼ばれる地域の文学記述をめぐっては論争がたえず繰り広げられてきた。チェコ系、ドイツ系、ユダヤ系住民が長年に渡って共存してきた地にあって、「言語」、「民族」、「地域」を措定し、「文学」を規定するのは決して容易なことではなかったからである。三十年戦争以降、失墜したチェコ語の文学をドイツ語の文学と同等に扱うことは困難であり、かたやプラハのドイツ語文学もまた他のドイツ語文学とどのように接続されうるかという問題を抱えていた。それればかりか、ボヘミアの地において、チェコ語文学とドイツ語文学は数世紀に渡って共存しながらも、両者が同列に論じられることは限られていた。二十世紀にチェコ語で執筆された文学史に限ってみれば、チェコ語の文学とドイツ語の文学を並列的に扱っているものとして、『チェコスロヴァキア郷土誌　第七巻　文学』[1]（一九三三）、『始まりから今日にいたるチェコ文学』[2]（一九九八）の二点がある。前者は、多民族国家としての意識を前面に出していた第一共和国時代の並列的な文学史であり、後者は、体制転換後に刊行された最新の通史である。つまり、この地で主要な文学であるチェコ語の文学とドイツ語の文学の系譜はしばしば並行する別個の現象として扱われ、交わることのない複数の単線として描かれることが支配的であった。

ある種の連続性を描出する「文学史」において、複数言語が用いられる地域の文学記述は難易度を増す。そのせいもあり、十九世紀後半から二十世紀前半にかけて、チェコ語文学とドイツ語文学による伝統が並存していたボヘミアにおいて、「文学史」の議論は双方において盛んであった。一九二六年、英語学者ヴィレーム・マテジウス（一八八二―一九四五）、言語学者ロマン・ヤコブソン（一八九六―一九八二）らによってプラハ言語学サークルが結成される。チェコ構造主義とも呼ばれるプラハ学派の文学、美学の領域で主導的な立場であったのがヤン・ムカジョフスキー（一八九一―一九七五）である。ムカジョフスキーは「社会記号論」という視点から芸術作品にアプローチしたことで知られるが、彼が十分に扱うことのできなかった問題系として芸術作品という構造の歴史性という時間の問題がある。[3]ムカジョフスキーに代わって、この問題系に取り組んだのがフェリクス・ヴォジチカ（一九〇九年インスブルック生まれ、一九七四年プラハ没）である。H・R・ヤウスが『挑発としての文学史』の序文[4]で先駆者としてムカジョフスキーとヴォジチカの名前を挙げ、デイヴィッド・パーキンスも著書『文学史は可能か？[5]』でヴォジチカの名前を挙げているように、文学史研究においてヴォジチカの名前は避けて通ることはできない。というのも、ヴォジチカはチェコ構造主義のプラハ言語学サークルの伝統を継承しながらも、文学史のより精緻な理論化を試みた人物であるからである。

だが、同時に両大戦間期のプラハは、ドイツ文学史研究の一つの拠点でもあった。プラハ大学ではアウグスト・ザウアー（一八五五—一九二六）が長年に渡って教鞭を執り、フランツ・カフカも彼の授業を聴講したことは知られている。何よりも、のちにナチス・ドイツとの関係が色濃くなる『ドイツの種族と地方の文学史』の著者ヨーゼフ・ナードラー（一八八四—一九六三）は彼の教え子の一人であった。つまり、チェコ構造主義による文学史理論と種族や地方を主軸とするドイツ文学史の系譜が、プラハで並行的に生まれていたのである。ここでは、特に前者に注目して、チェコ構造主義の文学史、とりわけヴォジチカが探求した文学史の問題系を検討しつつ、時代的な背景をも検討していきたい[6]。

文学史の歴史的概観

フェリクス・ヴォジチカは、ヤン・ムカジョフスキーの高弟として知られ、チェコ構造主義を代表する文学者であり、とりわけ十九世紀のチェコ文学を専門とする文学史家である。一九四〇年頃、プラハ言語学サークルの活動に加わり、それ以降、プラハ学派の一員として積極的に活動を展開する。一九四六年からカレル大学で教鞭を執りはじめ、並行してチェコスロヴァキア科学アカデミー・チェコ文学研究所にも所属する。プラハの春の機運の中、一九六八年にはチェコ文学研究所所長に就任し、研究に加え、後進の育英にも積極的に関わる。しかし、「正常化」の流れのなか、一九七〇年、すべての役職を解かれ、それ以降は表立った活動ができなくなってしまう。だが、その影響は、チェコ国内のみならず、コンスタンツなど、ドイツの受容美学に引き継がれることとなる。

一九四二年、言語学者ボフスラフ・ハヴラーネク（一八九三―一九七八）、文学者ヤン・ムカジョフスキーの編集による論文集『言語と詩についての読本』[7]で、ヴォジチカは綱領的な「文学史、その問題と課題」を発表する。これは「チェコ語で執筆された文学史の方法論として最も包括的で、何よりも体系的な論考」[8]として、今なお高く評価されている。同論文は、「文学史の歴史的概観」、「文学史の起点と対象」、「文学史の発展」、「文学作品の生成と歴史的現実に対するそれらの関係」、「文学作品の反響の歴史」、「文学史の総体」の七部から構成されており、プラハ学派の理念が随所に窺える。

まず冒頭の「文学史の歴史的概観」の内容を確認していくことにしよう。十八世紀以降の文学史の系譜を概観するこの章は文学史の概略であると同時にヴォジチカの目指す文学史の方向性が確認できるものとなっている。文学作品が、美学、言語、観念、文化史といった領域を横断し、「民族史」、そして「詩(básnictví)」とも関係をもつ複雑な特性を有することを確認したうえで、これまで多種多様なアプローチがなされてきたことが指摘される。詩学、文学に関する理論的な学問は、中世以来、人文主義、ルネサンス、古典主義に渡る伝統を有しているが、より体系的な作業が始まったのは十八世紀であり、「書誌学(bibliografie)」、「伝記(biografie)」が歴史学との関連において発展し、同時に、言語史との関連において、文献学的研究が発展する。ヨハン・クリストフ・ゴットシェート(一七〇〇—一七六六)、ヨハン・クリストフ・アーデルング(一七三二—一八〇六)、ヨゼフ・ドブロフスキー(一七五三—一八二九)らの名前を挙げつつ、ドブロフスキーの著作『ボヘミアの言語と文学の歴史』について触れる。同書では、言語が社会的に広がっていき、文学的に洗練される歴史をたどり、標準語の歴史が文学において見事に反映されているとし、文学史のアプローチにおける言語史の重要性が確認される。

言語中心的な視点は前ロマン派にも継承され、ドイツ語圏では、ヘルダー(一七四四—一八〇三）が文学史を新しい理論的基盤に位置付け、言語と文学に民族の典型的な表現を見出し、文学研究を通して民族の精神を知ろうと試みたとする。ヴォジチカは、ヘルダーが民衆文学を体系的な研究対象としたことを評価している一方、文学に民族精神を見出そうとする目的論的姿勢に対し、学術的には不十分な点があると一定の留保も示している。民族あるいは種族の精神が文学史に表明されているというヘルダーの主張は、その後のドイツ・ロマン派でも継承される。文法、民族誌的な手法を重視し、かつ古典文献学的な素養を有していたグリム兄弟により、テクストに敬意を払い、比較の手法を用いる文献学の手法が文学史に導入されたとする。また同時に、歴史学へ接近した事例として、ヨゼフ・ユングマン（一七七三―一八四七）の『チェコ文学史』（一八二五）、ゲオルグ・ゴットフリート・ゲルヴィーヌス（一八〇五―一八七一）の『ドイツ人の詩的国民文学史』（一八三五―一八四二）が言及されている。

文学史が「言語」、「民族」との関係を有していたため、手法的には文献学、歴史学と交錯する、そのいずれでもない多様なアプローチが求められたとし、次いで実証主義の文学史が扱われる。そこで、ヴォジチカが「文学史の目的と課題を初めて体系化した[9]」として高く評価するのが、フランスの文学史家イポリット・テーヌ（一八二八―一八九三）である。テーヌが『イギリス文学史』（一八六四）の序文で展開した方法論を取り上げ、作品が誕生した生の現実に注目したこと、とりわけ、遺伝的な「人種」、自然および社会的な「環境」、先行する作品によってもたらされる関連性の「時代」という三つの視点を導入したことで、社会学的な視点が文学史研究にもたらされたと指摘する。他にも、ドイツの実証主義者としてヴィルヘルム・シェーラー（一八四一―一八八六）、チェコのヤン・ゲバウエル（一八三八―一九〇七）、ヤロスラフ・ヴルチェク（一八六〇―一九三〇）、ヤン・ヤクベッツ（一八六二―一九三六）らが触れられている。

続く「文学史の精神科学的傾向」と題された節では、ドイツ語圏の文学史の系譜が検討される。実証主義から観念論への傾倒を指摘しながら、精神科学への傾倒により、歴史主義（文学現象の発展的な流れの理解）が後退していると指摘する。「外的な関係性」よりも、「内的な有機的な力」の探求に力が注がれ、ドイツの精神科学では、唯一性、反復不可能性の理解に重点が置かれ、そのため、個人の問題が中心に置かれているとする。経験が詩人の想像力の源泉となると説いたヴィルヘルム・ディルタイの著作『体験と創作』（一九〇六）が挙げられるが、詩的作品のなかに、詩人の経験の心理的表現を見出す根拠は明らかにされていないとやや否定的な見解を示す。

このように二十世紀初頭までの文学史を概観したのち、本章の最終節「言語芸術作品の本質の研究に基づく文学史の潮流」において、ヴォジチカは自身の文学史論の方向性を明確にする。作品の美学的要素の検討にあたり、従来の伝記、心理学、社会学、哲学的なアプローチとは異なる二つの手法に関心を寄せる。一つは、言語という素材そのものに関心を寄せ、伝達機能と美的機能を峻別するフォルマリズムであり、もう一つは、作品の本質を捉える試みとしての現象学である。後者は、クラクフ生まれの哲学者ロマン・インガルデン（一八九三―一九七〇）の著作『文学的芸術作品』（一九三一）を参照し、読書行為によって作品が現実になる「具体化」の概念に着目する。そして、両者の流れを汲む形で、プラハ言語学サークル、とりわけヤン・ムカジョフスキーの活動に言及がなされる。ムカジョフスキーはフォルマリズム以上に作品の諸要素の意味論的分析を重視し、インガルデンよりも「構造」を広く、動的に捉えていると主張する。構造主義は、素材の客観的な研究を行ない、同時に実証主義に見られた原子論、機械論を克服するとし、以降の章で、構造主義の精神に則って「文学史」の問題が具体的に展開される。

このようにヴォジチカの論考「文学史、その問題と課題」の冒頭部分は、十八世紀から二十世紀初頭までの（大陸）ヨーロッパの文学史を俯瞰するものとなっている。その際、特徴的であるのが、「民族」（あるいは「種族」）といった単位で文学史を語ることに対する疑念であり、むしろ言語そのものの単位措定を重視する点である。なかでも、プラハ学派の文芸理論が評価するのは、テーヌの社会的な視点、フォルマリズムの機能、そしてインガルデンの具体化という点であろう。この三点は、プラハ学派文芸理論の基本的な理念の根幹をなすものであり、以下では、ヴォジチカの「文学史」理論をより仔細に検討していくことにする。

ヴォジチカの「文学史、その問題と課題」（一九四二）

まず「文学史の起点と対象」と題された章の冒頭において、ヴォジチカは、文学史研究の起点となるのは、「何はともあれ、美的機能を有する言語表現すべて[10]」であるとする。「美的機能」は、ムカジョフスキーの論文「社会的事実としての美的機能、美的規範、美的価値」（一九三六）などに見られるプラハ学派の基本概念の一つである。「美的機能」とは、カール・ビューラー（一八七九―一九六三）のオルガノンモデルの三機能に加えて、ムカジョフスキーが提起したもので、のちにヤコブソンは「言語学と詩学」（一九六〇）で「詩的機能」として論じている[11]。伝達機能などとは異なり、美的機能は言語記号そのものを志向するとされ、なかでも特徴的であるのが、「美的機能の安定化は集団の関心事であり、美的機能は、人間集団と世界との関係をなす要素である[12]」とあるように、ムカジョフスキーが美的機能を社会的な関係において捉えている点である。この視点はヴォジチカにも継承され、文学史は、印刷された言語表現と同時に口承伝統も、高尚な文学とともに大衆的な文学も視野に収めるべきであり、文学史家は「社会のあらゆる階層の文学表現[13]」に目配りすべきであると主張する。また詩学との相違点についても触れ、前者が「文学作品の本質の認識論的探求」を目的とするのに対し、文学史は「個別の文学作品を歴史的な現実との関係において探求する」とする。

このように「文芸社会史」とでも言うべき視点を重視しつつ、ヴォジチカは文学史が取り組むべき課題として三つの問題系を提起する。以下では、この問題系に沿って、ヴォジチカの論点を整理していくことにする。

まず第一の問題系は、以下の通りである。

一、第一の課題群は、文学作品という客観的な存在によって規定される。文学作品は歴史的な連なりをなすが、そこでは、文学的形態という有機体の変容、換言すれば、文学構造の発展をたどることができる。作品は作家による労力の産物であるという連関を見過ごしてはいけないのと同様に、作品が美的な知覚の対象となるという連関も見過ごしてはならない。我々が問題とするのは、文学構造の動き、そして内在的な文学的発展の観点から文学作品を特徴付けることのみである。[14]

ヴォジチカは、文学史の第一の課題は「歴史的な連なりの記述」だとする。その連なりは、特定の作家、特定の言語の作品（国民文学）、特定のジャンル（散文、戯曲、バラッド）の歴史的記述ともなりうるが、ただ単に作品を羅列するのではなく、「発展の最中に行われる変化」にこそ傾注すべきであるとする。その際、用いられるのは「文学構造」、「構造（struktura）」という用語である。その後のフランスの構造主義に対する批判においてもしばしば見受けられたように、「構造」という表現はある静的に留まる状態として捉えられることがある。しかしながら、チェコの構造主義者たちが捉える「構造」にはより動態的な様相が前提とされている。つまり、「文学創作物における諸要素の関係の発展について意識しはじめたのは、文芸美学の新しい潮流であり、非物質的で、読者の意識の中に作られ、そしてまた全ての作品に現れる諸要素の総体について、彼らは『構造』という術語を用いている[15]」とあるように、音声言語や文字言語による具体的な構築物ということではなく、「非物質的」で、「読者の意識」など、言語外の要素を含む、きわめて緩やかな総体として「構造」を捉えている。変化を伴う動態的な「構造」という概念がより明確になるのが、単なる作品分析ではなく、通時的な変化を通してであろう。それゆえ、ヴォジチカが「構造」という用語を用いるとき、つねに「発展」という表現を併用している点は特徴的である。

さらに、その際、興味深いのは、ヴォジチカが「文学史」を捉えるにあたって、テクスト外の要素を考慮する重要性を唱えている点である。

研究の対象となるのは、物質的に存在する文学作品内の全体としてある事実の複合体ではなく、あらゆる文学的要素の総体によってもたらされる想像上の非物質的な総体であり、それは、個々の作品を何らかの形で配列することで具体的に現れるものである。[16]

ベネディクト・アンダーソンが『想像の共同体』において国民国家形成の過程について印刷技術を中心に論じたように、ヴォジチカが狭義の文学テクストだけではなく、テクストを取り囲む複合的な要素を重要視している点は特筆に値する。それは、ヴォジチカ自身、ヨゼフ・ユングマン、ヤン・ネルダ、カレル・ヒネク・マーハなど、十九世紀の文人の選集の編者を手がけ、詩や散文といったいわゆる文芸作品だけではなく、エッセイや記事、日記、批評文などあらゆるジャンルの文章に触れながらテクストの位相を検討してきたこととも関係があるように思われる。

さて、この「非物質的な総体」という考え方は、作品の自立性に留保をもたらすことにもなる。それは、「内在性（imanence）」という概念を広く捉えていることからもわかる。文学構造の内在的発展という観点は、内在性が外からのあらゆる介入を否定するものとして説明されるべきではないとし、作品は「人間によって実現」されるだけではなく、「社会的文化の事実」であり、「他の文化生活面の現象と様々な関係」を有している点を強調する。そして「外からの干渉は、新しい文学形態が実現される際に、構造の同時代の状態がもたらす諸々の可能性と比較しなければならないということである。この観点によって、生成をめぐる問題を検討することが可能になる」[17]とする。トマーシュ・クビーチェクが指摘するように、ヴォジチカは、言語内の「テクスト」との関係だけではなく、言語外の「コンテクスト」に対する関係も重視している[18]。

次に第二の問題系に触れよう。

二、第二の課題群は、作品の生成を探求し、詩人の文学的努力と同時代の文学構造のあいだの緊張を探求し、そして、文学的発展に関与する文学以外の傾向を検討する試みによってもたらされる。なぜならば、作品は、現実に対して、美的に志向する記号であり、そのため、私たちは、作品と歴史的現実、詩人と社会のあいだの関係に光を当て、再建を試みる[19]。

ここでは、まず従来の研究に多く見られたテクストの生成に関するアプローチに言及したのち、テクストと他のテクストの関係性、さらには文学外の要素がテクストに与えた関係性を考慮する重要性が説かれる。テクストの生成、つまり、どのように影響を受けて、作品が成立したかという問いかけについては、それ以前にも評伝研究などで研究が進められてきた。ヴォジチカは、さらに詩人（作家）と同時代の文学構造（環境）の関係、つまり同時代性という点を意識する。というのも、詩人が有している「同時代の文学構造、文学的な慣習に関する知識」が、詩人の創作する作品の方向性にとって決定的な役割を担っていると捉えているからである。文学的な伝統に対しては、伝統と自分を同一視するか、あるいは、新しい、個人としての作品を作るべく、その伝統から遠ざかるかという二つのアプローチがあるが、何れにしても詩人は伝統の関係性から逃れることはできない（例えば、詩人オタカル・ブジェジナは若い頃、リアリズムなどあらゆる文学的慣習をたどったのち、独自の象徴主義にたどり着いたとする）。その際、詩人の営為は個人的なものであるとしながらも、個人の文学的嗜好だけではなく、書籍市場の影響、世代的な帰属意識、世界観、人生経験など、多様な要素が影響を及ぼすとする。ヴォジチカは「弁証法的緊張[20]」という表現を用いて、作品生成をめぐる様々な源泉を検討することを促している。

作品と現実との関係について論じるにあたって、重きが置かれるのが、芸術作品が「記号」である点である。だがその記号は何らかの事実を伝達する性質のものではなく、美的記号である旨が強調される。美的記号の性質として、読者は、作品の中にはないが、ありうる現実を作品に見ることもできる。アリストテレスが『詩学』で論じた可能性世界の視点である。作品と現実との関係は多様であるが、ヴォジチカは、例として、伝達を主とする標準語と詩的言語の関係、詩人の実生活と作品内での表現、現実の社会と作品内における社会の表象を挙げる。これらの関係の確定を目的とするのではなく、むしろ、作品と現実の間に両極があることを意識することの重要性を説く。絵画において描かれる実際の風景を知ることは絵画内の表象を考える上でも重要であるように、十九世紀の女性作家ボジェナ・ニェムツォヴァーの伝記事実を知ることは彼女の作品理解に資するものであるからである。

また従来の文学史研究は因果関係の探求で満足していたが、構造主義は目的論的アプローチを取るため、「機能」が重視される。K・エングリシュが『学問認識のフォルムとしての目的論』(一九三〇)で明らかにしたように、何らかの意図や前提を見出す際に現実の対象が想起される。これを踏まえると、文学作品もまた何らかの美的効果が想定され、その機能の探求が優先されるとする。

第三の問題系は以下の通りである。

三、第三の課題群は、文学作品はある特定の文学的慣習(文学規範)を背景にして読者が美的に知覚するものであり、それゆえ、美的記号のかたちと解釈は、それによって変容するという現実によって規定される。文学的諸価値の変容、および文学作品の寿命も探求する可能性がある[21]。

ここでは、いわゆる「受容」の問題が扱われている。ヴォジチカは、読者が作品を受容する一つのプロセスとして「具体化」という表現を用いているが、その一方で、作品のより広い受容という意味で、ここでは「反響(ohlasy)」という術語を用いている。「反響」とは声の広がり、エコーを意味するものであり、いわゆる「受容」という概念に近い。ただ「受容」が読者など受け手の視点を中心に置くのに対し、「反響」は作品を中心に置き、その受容の広がりを捉えるものである。

構造主義美学は、文学作品を公衆に向けられた美的記号として解している。つまり、存在する作品だけではなく、その受容についても考慮しなければならない。また、作品は読者集団によって美的に捉えられ、解釈され、評価されるという点を踏まえなければならない。作品は読まれることによって美的に実現され、それにより、読者の意識の中で美的対象となる。だが、美的な認知と密接に関係するのが「価値判断」である。価値判断は、何らかの基準があることを想定しているが、その基準は固定されたものではなく、歴史的な源泉の観点から見ても、作品の価値は固定された不変の値ではない。文学発展において価値判断の基準および文学的な価値はたえず変化していくため、この変化を捉えることが歴史研究にとって自明の課題となる。／文学作品は、公表されたり流通するやいなや、同時代の芸術意識の観点から作品に触れる人々の公けの財産となる。文学的な領域における同時代のこのような芸術意識を知ることは、歴史家の第一の課題であり、そうすることで、作品の反響、そして作品の実勢的な価値判断を理解することができるだろう。[22]

読者による受容を重視する姿勢は、プラハ学派の言語学者たちがコミュニケーションを重視したこととも呼応している。先に触れたビューラーのオルガノンモデル、ヤコブソンの言語機能の議論はまさにこのような視点を起点にしている。それゆえ、ここではテクストそのもののよりも、「美的規範」の歴史的変容の再建が注目される。文学的発展が同時代の文学的嗜好に先行し、同時代の「規範」が作品を十分に評価しないことはよく見られるが、このような「規範」もまた文学構造の一部を成すものと捉える。もちろん、作品で実現されることのない「規範」も存在するとし、きわめて緩やかに「規範」および、それを含む「文学構造」を捉えていることがわかる。

さらに、具体的に以下の四点、すなわち「一、文学規範および所与の時代の文学的前提となるものの再建」、「二、評価対象、文学価値のヒエラルキーを含む、所与の時代の文学（の全体）の再建」、「三、（同時代および過去の）作品の具体化の研究」、「四、文学および文学外の領域における作品の影響の研究」を課題としてあげている。一及び二は作品の位置する「規範」、並びにその規範の価値のヒエラルキーといった作品を取り巻く環境の検討であり、三は、先にも触れたように、ロマン・インガルデンが著書『文学芸術作品』（一九三一）の中で展開した「具体化（Konkretization）」という概念に多くを負っている[23]。四は、文学内の環境および文学以外の領域との関係性を論じるもので、前者は間テクスト性、後者はアダプテーションの概念にそれぞれ通じるものである。

以上、ヴォジチカが提示した文学史の三つの問題系の概略を検討した。

最終章では「文学史の総体」として、「時代」、「作品」、「著者」、「民族文学（国民文学）」、「民族を超えた総体および文学的関係」という具体的なトピックが扱われている。

「時代」に関しては、文学アプローチやテーマをもとにして時代の表現として捉える「独断論的(ドグマ)」な視点と、ある期間における文学作品の特性を比較によって抽出する「経験的」な視点がある。前者の場合、該当する歴史的カテゴリーをすべて捉えることは困難であるため、後者の経験的アプローチが優先されるべきだとする。とはいえ、ここでも文学現象の自律性が強調され、他の現象と関係することがあるにせよ、時代の特定は、文学作品内部の分析を出発点にすべきであるとし、その際、時代のドミナントの文学構造や言語素材の美的利用における典型的な要素（韻律など）を探求し、その上で、現実と文学の関係、時代の価値の社会的な構成と文学的、美的記号の構成の関係が理解されるとしている。

「作品」は他の箇所ですでに検討されたとして、簡略にまとめられている。[24]「作品」は物質的に捉えられる文学の基本であり、文学史の観点からは、先行作品との関係、作品の生成、とりわけ発表された時代に対する関係（作品の歴史的解釈）の研究が重視される。また時代に見られる典型的特徴と個別の差異の関係を前面に捉える。

「著者」については、作家の実生活や経験が作品にある程度投影されている場合もあり、作品の生成の一端を知るうえで伝記研究は一定の役割を担っている。生活の現実と作品の現実の双方を論じる研究も多く生まれたが、その両者について単に相関関係を見出すだけではなく、因果関係も見出すことは作品の自律性が損なわれるとして注意を促している。

ヴォジチカの「文学史」論の概略を示したが、作品を含む文学的な構造をきわめて動態的に捉え、作品の記号性、社会性、受容の問題を多層的に論じている。メディア論、アダプテーションなどの問題系にも通じている視点を含んでいることがわかるだろう。その一方で、今日の観点から見ると、問題を含む箇所もある。それは特に文学史の単位設定に関してである。

複数言語の記述

文学史において単位をどのように設定するかという点だが、ヴォジチカの議論においては、「民族文学」が一つの例として提示されている。民族文学の自然な総体をなす最も特徴的な点として、「単一の言語素材[25]（jednotný jazykový materiál）」を挙げている。文学史研究の誕生以来、言語が民族文学の中心であり、「民族、種族、社会の一体性や差異、あるいは人種といった他の規定要因が民族文学の単位を判断する上で起点となるのはのちになってから」であるとし、中核は言語であり、「民族文学はその自立的要素によって規定されている[26]」ためであるとする。様々な言語文化が混在するヨーロッパにおいて、ある特定の文学が他言語の文学から影響を受けることは頻繁に見受けられる。だが、民族言語で執筆されていない文学として、中世やルネサンスにおけるラテン語文学の事例が挙げられるものの、近代的な複数言語の環境には触れられていない。他民族やヨーロッパ社会の文化全体の文学的発展との関連を過小評価できないにせよ、「現実には、あらゆる言語の文学は、言語素材の差異に関する固有の問題系、独自の伝統を有しており、それゆえ自然にその発展曲線を描いている[27]」としているが、この点に関しては、より仔細な検討が望まれるだろう。

その一方、ヴォジチカが言及するのは、外国文学からの影響についてである。国内の影響は、文学伝統の力や作用によって説明できるが、複数の民族文学の総体の文学的融合が外国文学の影響を通して実現される例を挙げ、「比較文学」というディシプリンの誕生に触れている。

影響とは、作品や文学的発展のなかに異質な要素として介入する外的な偶発性ではない。影響がもっともよく実現されるのは、誕生しつつある文学的営為が、並行する外国の現象の手助けと遭遇したときである。ここにおいても、ある現象の要因を、影響を与える側の外国の現象に一方的に探求してはならず、むしろ、作家あるいは文学独自の発展のなかにその現象の要因を探求すべきであり、つまり、影響とは、要因というよりも手段なのである。影響はもちろん、文学的発展の観点から理解できるが、それだけではなく、所与の時代の文学規範の必要性の観点からも理解しうる。例えば、規範が肯定的な評価を下す作品の源泉が過去あるいは外国の文学環境に由来するような場合も、文学創造に影響を与える要素となりうる[28]。

比較文学的な視野での影響の議論がなされているが、ここにおいても、「作品生成」の源泉（影響を与えた作品）をたどるよりも、作品内の受容関係に重きが置かれている。しかしながら、ヴォジチカの議論をより進めるのであれば、作品の「生成」あるいは「受容」の両者において、その社会的環境をより柔軟に捉えて検討すべきであろう。

ヴォジチカの文学史の実践

これまでヴォジチカの「文学史」の理論の要点を検討してきたが、次いでその理論に基づいて実践された彼の論考を検討してみよう。十九世紀、とりわけ「民族復興（národní obrozeni）」と称される時代のチェコ文学をどのように捉えるかについては、様々な見地から議論が繰り返されてきた。同時代の文学を専門とするヴォジチカがこの問題を真正面から受け止めて検討した論文「文学的問題としての復興[29]」（一九四七）をもとに、ヴォジチカの文学史アプローチを見てみることにしよう。

まず、哲学者マサリク、文学史家ヴルチェク、アルネ・ノヴァークらの発言を比較した上で、歴史的現象としての「復興」という概念には共通した定義はなされていないとし、民族の文化生活のひとつの層、文学に現れる「復興」の問題の検討を始める。その際、ヴォジチカが第一に行うのは、文学テクストの読解ではなく、十九世紀におけるチェコ語の文学の社会学的な位相の検討である。「十八世紀、チェコ語で書くのは、民衆のためであり、独自のチェコ文学は、チェコ語同様に、農民の文学となり、規模及び内容、文体及び言語、さらには印刷技術の面でも低下していた[30]」というJ・ハヌシュの言葉を引用しつつ、一八五〇―七五年頃、チェコ人の知識人はラテン語（科学）、フランス語（哲学と文学）、そしてドイツ語の枠組みの中で暮らしていたため、チェコ語で執筆された文学作品は、民衆的な読者層のみを対象としていたとする。つまり、十八世紀半ば、文学は、上部に文学を先導する前衛的なもの、中間部に広い層を占める教養ある読者層、下部に落ちぶれた民衆層といった具合に垂直に分化されており、この構造物の上の階はドイツ語やフランス語で占められ、一番下の階はチェコ語で印刷された著作物で満たされていた。このような状況下、文学における復興の問題とは、「同時代の文学ヒエラルキーの上層階へチェコ語をたどり着かせる試み[31]」に他ならなかった。

従来の文学史は、「復興」を、理念的な内容（人道主義、スラヴ性、フォークロア）を通して解するか、民族意識を広める政治的、社会的意義によって捉えようとしていたが、ヴォジチカは当時の文学の有していた機能に着目する。民衆文学は、美的側面も備えていたものの、呪術的、魔術的機能を有していたとし、「復興」においては、より高度な文体を実現し、文学表現の多様化、とりわけ、美的機能のみを有する文学の形成が求められていたとする。それゆえ、マーハの詩篇『皐月』が美的機能を明確に有する点を高く評価する。だがここでもまた、ヴォジチカは文学テクストが単なる美的な対象にとどまるものではなく、ある種の社会性を有していることを確認する。

文学はもちろん社会の外にあるわけではなく、文学作品を鑑賞する人たちの社会の基盤をなす人々の意識と結びついている。それゆえ、文学面での復興を試みる動きは、社会的側面を有している。チェコ語で書かれた作品が教養あるチェコ語の読者層を獲得するには、その作品は、せめて部分的に満喫できなければならない。読者層がチェコ語で書かれた文学作品という環境を完全に、彼らの高い文学的要求をも満たし、読者層がチェコ語で書かれた文学作品という環境を完全に、大半はその教養ある機能を担うにあたり、貴族あるいは民族や民族言語からかけ離れた社会層と密接な関係にあり、チェコ語の環境で文学を創作したり、思索する意思のあるチェコ系の知識人の新たな層を徐々に形成し、育てる必要があった[32]。

ドブロフスキーの時代は規範などの「規則」を用いて、言語的、文学的創作を固定しようとしたが、ユングマンの時代には、芸術表現の自由を求める戦いが、「尋常でない」、「新しい」ものを目指す独特な詩的な前景化に基づく、高度なタイプの唯一無比のポエジーを求める戦いが始まったとする。なぜなら、ユングマンの世代は、新しい価値を生み出し、思想と美に関わる新しい領域を創出しうるエネルギーとして言語を捉えていたからである。ユングマンによるミルトン『失楽園』、シャトーブリアン『アタラ』の翻訳[33]は「詩的な言語」の豊かな類義語の創出となり、十九世紀初頭に古チェコ語の詩篇として発見され、のちに贋作として位置付けられたドゥヴール・クラーロヴェーおよびゼレナー・ホラの「草稿」は、古チェコ語の架空の言語という極めて特殊な言語表現によって、読者を魅了した。言語は民族性の主たる記号となり、それは文学での「復興」の社会性を表現するものであったとする。

ヴォジチカは、ユングマンの時代の文学を「試験管[34]」の性格を帯びていたと評する。一部のインテリが、伝統に依拠せず、読者層を意識することもない、実験的な試みを伴う、より高度な文学を試みていたからである。それが現実と結びついたのは、ロマン主義であり、民衆のフォークロアの伝統と詩作品の「芸術性」の共存を初めて可能にし、マーハの『皐月』、エルベンの『花束』、ニェムツォヴァーの『おばあさん』は、新しいチェコ文学の古典的作品として、否定できない価値を有するこれらの作品により、「復興」はピークに達する。

この分析で特徴的であるのが、テクストの美学的内容の検討よりも、テクストの社会的な位相が重視されていることである。民族復興期の文学はナショナリズムとも密接に連動する要素を備えているが、ヴォジチカは、それ以前の時期（バルビーン、ドブロフスキー）との通時的な比較を通して、読者層及び文学ジャンルの変化をたどっている。その際、鍵となるのが、テクストの機能、とりわけ美的機能である。十九世紀前半の文学は、とりわけ社会的、政治的な機能を担うことを余儀無くなされていたが、ドミナントが徐々にそのような機能から美的機能へ移行していったことを確認する。

もちろん、今日の観点から見れば、より精緻な議論を展開することが可能であろうが、テクストの社会的な位相及び機能の変容を辿った意義は大きく、「復興」期の文学を理解する上で、ヴォジチカの文学史理論は一定の成果を挙げていると言えるだろう。

ヴォジチカの「文学史」を歴史化する

ヴォジチカの理論的な論考「文学史、その課題と問題」、次いでその理論を実践した論考「文学的問題としての復興」の二点を検討した。ともに多様な受容の可能性を訴える論考でありながらも、一つ気になるのが、テクストの歴史的環境との関係である。具体的には、ヴォジチカのテクストが執筆されたプラハあるいはボヘミアが多言語空間であったという点である。ヴォジチカの文学史の綱領はチェコ語で執筆された論文であり、主としてチェコ語の読者を想定しているため、チェコ語文学の単一性を提示する上でも、このような言語中心主義が取られたように思われる。ただボヘミアはつねに複数言語の空間であり、時代によって差はあれども、教育、文化、社会のあらゆる層において複数言語が入り混じる場であったことを考慮すると、単一言語にこだわるヴォジチカの姿勢にはかえって強い意志のようなものが感じられる。最後に、ヴォジチカの「文学史」の議論を踏まえて、同テクストが生成された歴史的文脈を今一度確認してみたい。

一九三八年九月のミュンヘン協定によるズデーテン地方のドイツへの割譲、一九三九年三月のボヘミア・モラヴィア保護領化により、チェコスロヴァキアは解体する。それ以降もプラハ言語学サークルの活動は継続されたが、その性格は一変する。一九三八年には、言語学者ニコライ・トゥルベツコイがゲシュタポによる取り調べの後に逝去し、一九三九年にはヤコブソン、文学者ルネ・ウェレク、民族学者ボガトゥイリョフがプラハを去り、多様な国籍の研究者が集う国際的な色彩は弱まってしまう。また一九三九年十一月には、チェコ系の大学が閉鎖され、学術的なサークルの会合の場が制限されてしまう。そこで、プラハ学派の面々は、著作活動を通して社会への訴えを継続する。ムカジョフスキーが編者を務めたマーハの論文集『マーハ作品のトルソーと謎』(一九三八)、さらにはヴィレーム・マテジウス編の『我が国はヨーロッパと人類に何を与えたか』(全二巻、一九三九―一九四〇)など、詩的表現の可能性、さらにはチェコ民族の連続性およびヨーロッパ文化に対する貢献を世に問う著作が相次いで刊行された。

ヴォジチカの「文学史、その課題と問題」が収録された『言語と詩についての読本』(一九四二)もまた、このような時代の産物であった。編者のハヴラーネクとムカジョフスキーは序文で同書を次のように位置付けている。

構造主義の見解は、言語に関する認識並びに詩的作品に関する認識を見直すものとなった。この深遠なる変容においてチェコの人々の関与は相当なものであり、場合によっては主導的な役割を果たした。知的な読者であれば誰しもがこの見解に触れ、退屈な学校文法から解放されて、自身の言語を認識すること、そしてまた、詩的言語を研究することは、精神の冒険であり、そうなりうると実感してくれることを私たちは望む次第である。[35]

当初は複数の著作からなる叢書での刊行を想定していたが、五点の論考を収録する論文集として刊行されるに至る。「チェコの人々の関与」の重要性を訴えるこの序文は、様々な活動が制限されていた保護領期における知識人の心情の一端を示していると言えるだろう。だが、この傾向は、「序文」というパラテクストだけではなく、論考のテクスト自体にも投影されているように思われる。ここで、今一度、プラハ学派の文学史を論じるに当たって、その環境、つまりドイツ系のプラハ大学の環境も考慮に入れる必要があるだろう。

プラハ言語学サークルが結成される一九二六年まで、四十年に渡ってプラハ大学でドイツ文学を講じていたのがアウグスト・ザウアーである。ザウアーがプラハで弟子の一人として育てたのがヨーゼフ・ナードラーである。二十年に渡って執筆し続けた『ドイツの種族と風土の文学史』(一九二九―三二）は、血統主義的な視点を前面に出し、第四版ではナチズムのイデオロギーを反映させたものに加筆修正を行ったことで知られる。つまり、ナチズムに通じる文学史の研究が、同時代のプラハで進行していたのである。当然のことながら、チェコ系のプラハ大学で教育を受けたとはいえ、小さな町での学術的研究動向にヴォジチカも無知であったわけではない。先に触れた「文学史、その課題と問題」の冒頭章で文学史の変遷を辿った際、ヴォジチカは両者に触れている。ディルタイらの精神科学の伝統において「特殊な位置」を占めるものとして、「プラハのドイツ大学」のアウグスト・ザウアー、ナードラーの試みを言及する。それは、詩人と作品の部族や地域の規定によって捉える試み、外的な関係性だけではなく、内的な諸々の力、個人と民族および部族の関係によってもたらされる観念的、文学的類型学を対象とするもので、ザウアーが『文学史と民俗学』がその理論的条件を独自に発展させたものを、ナードラーが修正を加え、著作『ドイツ種族および風土の文学史』にまとめたとしている。ヴォジチカは、ナードラーの文学史を以下のように総括している。

ナードラーによれば、種族（kmen）とは精神的にも心理的にも統一体をなすものであり、創造する詩人たちは、この種族を個人として代表しているにすぎず、それゆえ彼らの作品は共通の特徴を有しているという。文学形態の多様化は、文化の史的発展によって規定されておらず、異なる地域環境に定住した種族の民族的集合体の内的差異によるものとされている。もちろん、ここには、種族の移住、その混淆、時代にもとづく物質的生活基盤にもとづく歴史的課題はあるが、主たる関心は、血と大地の神話に含まれる精神的、文学的作品を決定する諸々の力に注がれる。たしかに自然の契機が問題となっている点もあるが、ナードラーの方法論はドイツ精神科学の方向を向いている。[36]

抑制的な文体でありながらも、「種族」の連続性を強調するナードラーの見解が端的にまとめられている。だが、すでに見てきたように、プラハ学派のアプローチは「言語」「機能」「構造」を主たる要素として捉える立場であり、その議論の中で「種族」といった血統主義的な見解は一顧だにされない。つまり、「種族」という概念を重要視したザウアー、ナードラーと「言語」の単位を重要視し、客観的な方法論の探求に努めたチェコ構造主義の学者たちは対極に位置しているのである。いみじくもヴォジチカの弟子にあたるチェルヴェンカがヴォジチカのアプローチを「ドイツという媒介なしに、世界的な文化への編入[37]」を試みるものと称したように、プラハ学派がドイツ文芸学の影響に触れるのは限定的である。「文学史、その課題と問題」の後半でヴォジチカが展開する理論的考察において、ザウアー、ナードラーという同じ都市で活躍していたドイツ文学史家のアプローチは黙殺され、暗黙のうちに否定されている。もちろん、様々な検閲がなされている保護領期にあって、直接的な非難をすることは躊躇われたのであろう。[38] それ以上に言語という素材を重視するプラハ学派の試みは、血統主義的な文学史観を探求するザウアー、ナードラーの営為とは一枚のコインの裏表のように対極をなすものである。[39] 両者が学術的に交流した痕跡はあまり見受けられないが、アンチテーゼとして影響を与えていた可能性は否定できない。[40] まさにヴォジチカが文学史を検討する際にテクスト外の様々な環境を考慮する重要性を訴えていたように、彼自身の文学史理論に関するテクストもまた様々なテクストや環境との相互関係を措定すべきなのである。

[註]

(1) *Československá vlastivěda. Díl VII. Písemnictví.* Praha: Sfinx-Bohumil Janda, 1933. チェコスロヴァキア建国十周年を記念して、国内の文化全般を百科辞書的に記述する試みである同書の第七巻は「文学」を扱っている。同書の構成は、主として次のようになっている(アルネ・ノヴァーク「チェコ文学史」/アルベルト・プラジャーク「スロヴァキア文学」/A・ハルトル「ポトカルパチア・ルスの文学」/ヴォイチェク・マルチーネク「ポーランド文学」/アルノシュト・クラウス「チェコスロヴァキア共和国におけるドイツ文学、一八四八年まで」/パヴェル・アイスネル「チェコスロヴァキア共和国におけるドイツ文学、一八四八年から現代まで」/パヴェル・ブイナーク「チェコスロヴァキア共和国におけるハンガリー文学」)。序文には、「チェコスロヴァキア共和国の誕生により、チェコスロヴァキア民族の他に、この地に住むドイツ人、ハンガリー人、ポーランド人、ルスィーン人、ユダヤ人がいる国家が生まれた。これにより、彼らの文学に関する我々の関心が拡大した。『チェコスロヴァキア郷土誌』は、我々の文学史を概観しながらも、これらの民族の文学を看過することはできなかった。その結果、ボヘミア、モラヴィア、シレジア、スロヴァキア、フルチーン、ポトカルパチア・ルスという我が国の領土における文学史が初めてチェコの大衆に届けられることとなった」[*Ibid.*, *s.* 5]と記され、チェコスロヴァキア国家の誕生とともに初めての総括的な「チェコスロヴァキア文学史」であることが強調されている。

(2) Lehár, Jan; Stich, Alexandr; Janáčková, Jaroslava; Holý, Jiří: *Česká literatura od počátků k dnešku*. Praha: Nakladatelství Lidové noviny, 1998. 主に高等教育の教材として執筆された体制転換以降、最新の通史。序文で、本書で念頭におかれるチェコ文学は領土的なものであり、「それは単一の伝統ではなく、複数の伝統である。すなわち、古代スラヴ語、ラテン語、ヘブライ語、ドイツ語である」[*Ibid.*, s.11]と複数言語の文学である点が強調されている。

(3) ムカジョフスキーは文学史の問題に体系的に取り組むことはなかったが、ポラークの詩集『自然の高貴さ』(一八一九)の韻律の変化を論じた通時的な分析(Mukařovský, Jan.: *Polákova Vznešenost přírody*. Praha: Česká akademie věd a umění, 1934)はヴォジチカにも影響を与えている。

(4) H・R・ヤウス「日本語版への序文」(一九七四年)、『挑発としての文学史』轡田収訳、岩波書店、二〇〇一年、vii頁。

(5) Perkins, David: *Is Literary History Possible?* Baltimore-London: The John Hopkins University Press, 1992, 11.

(6) なお、ザウアーの地域文学史については以下を参照。三谷研爾「民族対立のなかの学知　アウグスト・ザウアーの地域文学史構想」、『コンフリクトのなかの芸術と表現　文化的ダイナミズムの地平　叢書コンフリクトの人文学　第四巻』大阪大学出版界、二〇一二年、四一—六〇頁。

（7） Havránek, Bohuslav.—Mukařovský, Jan (eds.): *Čtení o jazyce a poesii*. Praha: Družstevní práce, 1942. ヴィレーム・マテジウス「ことばと文体」、フランチシェク・トラヴニーチェク「言語の正しさについて」、ヨゼフ・ヴァヘク「書き言葉と正書法」、フェリクス・ヴォジチカ「文学史、その課題と問題」、イジー・ヴェルトゥルスキー「詩的作品としての劇」の五本の論考が収録されている。

（8） Tureček, Dalibor: K Vodičkovu modelu literární teorie. In: Jedličková, Alice (ed.): *Felix Vodička 2004*. Praha: Ústav pro českou literaturu AV ČR, 2004, 9.

（9） Vodička, Felix: Literární historie—její problémy a úkoly. In: Havránek, Bohuslav.—Mukařovský, Jan (eds.): *Čtení o jazyce a poesii*. Praha: Družstevní práce, 1942, 316.

（10） *Ibid*., 339.

（11） カール・ビューラーはオルガノンモデルにおいて、主情的機能（Ausdruck）、動態的機能（Appell）、指示的機能（Darstellung）の三つの機能を提起し、その後、ヤコブソンはこの三つに加え、詩的機能、交話的機能、メタ言語的機能の三機能を加えた。ヤコブソン「言語学と詩学」（『ヤコブソン・コレクション』桑野隆・朝妻恵理子編訳、平凡社ライブラリー、二〇一五年）を参照。

（12） Mukařovský, Jan: Estetická funkce, norma a hodnota jako sociologický fakt. In: *Studie I*. Brno: Host, 2000, 95.

（13） Vodička, F., *op. cit*., 340.

（14） *Ibid*., 343.

（15） *Ibid*., 346.

（16） *Ibid*., 345.

（17） *Ibid*., 357.

(18) Kubíček, Tomáš: *Felix Vodička—názor a metoda. K dějinám českého strukturalismu*. Praha: Academia, 2010, 192.

(19) Vodička, F., *op. cit.*, 343.

(20) *Ibid.*, 358.

(21) *Ibid.*, 343.

(22) *Ibid.*, 371.

(23) 「具体化と言うとき、一九六九年〔原文ママ〕以降のプラーグ派構造主義（ヤン・ムカジョフスキイ、あとにフェーリクス・ヴォディチカ）は、作品という構成物（アルテファクト）を美的客体としてとらえる受容者の意識に映った作品の模像を考える。つまり、作品が受容されることによって初めてさまざまな解釈が進行し、終わることのない作品の具体化もしくは受容形態の連鎖の中で、その作品の構造が歴史的生命をもつに至るのである」（H・R・ヤウス『挑発としての文学史』轡田収訳、岩波現代文庫、二〇〇一年、一五五頁）。

(24) 当然ながら、「文学史」を扱っていながら「文学テクスト」に関する議論がきわめて少ないという批判は度々なされている。だが、ヴォジチカはムカジョフスキーらの具体的な分析を下敷きにしてここで議論を展開しており、ここでは「テクスト」よりも「コンテクスト」の重要性が説かれている。むしろ、問題となるのが、作品固有の「内在性」がどのように確認されうるかという点であり、この点について十分に論じられていない。

(25) Vodička, F., *op. cit.*, 394.

(26) *Ibid.*, 395.

(27) *Ibid.*, 394-395.

(28) *Ibid.*, 362-363.

(29) Vodička, Felix: Obrození jako problém literární. In: *Struktura vývoje*. Praha: Odeon, 1969, 55-71.

（30） Hanuš, J.: *Národní museum a naše obrození I*. Praha: Národní museum, 1921, 11.

（31） Vodička, F., *op. cit.*, 64.

（32） *Ibid.*, 65.

（33） ユングマンの翻訳によるシャトーブリアン『アタラ』は一八〇五年、ミルトン『失楽園』は一八一一年にいずれもプラハで刊行されている。

（34） *Ibid.*, 70.

（35） Havránek, Bohuslav.–Mukařovský, Jan: Předmluva. In: Havránek, B.-Mukařovský, J. (eds.): *Čtení o jazyce a poesii*. Praha: Družstevní práce, 1942, 8.

（36） Vodička, F.: Literární historie, její problémy a úkoly, *ibid.*, 327.

（37） Červenka, Miroslav.: O Vodičkově metodologii literárních dějin. In: Vodička, F.: *Struktura vývoje*. Praha: Odeon, 1969, 334.

（38） 『言語と詩に関する読み物』には、イジー・ヴェルトゥルスキーによる論考「詩的作品としての劇」も収録されているが、フッサールに関する一節は削除されている（Sládek, Ondřej: *Jan Mukařovský. Život a dílo*. Brno: Host, 2015, 245.）。

（39） 民族文学の単位を「言語」に限定した点について、トゥレチェクは次のように述べている。「概念のこのような限定は、ヴォジチカの論考が誕生した時代、つまりドイツ占領という最悪の時代においてはきわめて肯定的な含意を有していただろう。しかし、論考の起点となっているのは、文学において美的機能を実現する鍵をなす媒体として言語が構造主義の観点から強調されている点である」（Tureček, Dalibor, *op. cit.*, 9.）と述べている。

（40） チェコ構造主義の文脈では、ザウアー、ナードラーを評価する声は見られないが、クルト・クロロプは、文芸批評家F・X・シャルダ、オタカル・フィッシェルが一定の評価を下している点を指摘している（Krolop, Kurt: August Sauer und Josef Nadler. Zur tschechischen Rezeption ihrer literaturhistorischen Konzeption in der Zwischenkriegszeit. In: Höhne, Steffen (Hg.), *August Sauer (1855-1926). Ein Intellektueller in Prag zwischen Kultur- und Wissenschaftspolitik.* Köln-Weimar-Wien: Böhlau, 2011, 309-317.）。

＊　本研究はＪＳＰＳ科研費「15H03193」「19K00493」の助成を受けた。

II

「中心／周縁」モデルを超えて

「周縁」と「カノン」

ルーマニア領ブコヴィナのユダヤ系ドイツ語詩人たちとゲーテ

藤田恭子

はじめに

ドイツ語圏で、ブコヴィナという地名が、メディアを通して一定の認知を得るようになったのは、一九八九年の東欧革命を経てのことだ[1]。岐阜県よりやや広い、面積一万四四一平方キロメートルのブコヴィナは、一七七五年にオスマン帝国領からハプスブルク帝国の領土となり、対ロシア最前線に位置する帝国最東端の直轄領として発達した。だが第一次世界大戦敗戦による帝国解体とともにルーマニアに委譲され、その後も繰り返し、実効支配や帰属の変更を余儀なくされた。しかしこの地ではハプスブルク領時代にドイツ語文化が息づき、ドイツ語ドイツ文化に同化したユダヤ系市民が地域社会で主導的役割を果たしていた。それを背景に、皮肉にもルーマニア領となった後、優れた詩人が輩出する。しかしルーマニアでマイノリティとして生きる彼らは、政治的社会的にはもとより、文学史においても、周縁的存在と位置づけられ続けた。ルーマニアがナチスドイツと同盟関係を結び、ユダヤ人迫害を共に進めたことは、事態をさらに複雑かつ悲惨なものとした。第二次世界大戦後は東西冷戦により、彼らの存在は引き続き西側ドイツ語圏の視野から遠ざけられた。その文学の受容が本格的に開始されたのも、やはり東欧革命の後である。[2]

もとより、彼らの中でもっとも著名なパウル・ツェラン[3]（一九二〇―一九七〇）が、第二次世界大戦直後から、戦後における最高のドイツ語詩人の一人と認められていたことは論をまたない。一九六〇年にはドイツ語圏でもっとも重要な文学賞「ゲオルク・ビューヒナー賞」を受賞した。しかしツェランが生を享けた地が、ルーマニア領ブコヴィナの中心都市チェルノヴィッツであったことは等閑に付され続けた。

存命中に進められたツェラン研究において、彼の出自や伝記的事実が深く問われることはなく、チェルノヴィッツやブカレストで書かれた初期作品についても、発表されたものは数少なかった。[4]ましてその故郷の地で、彼より少し年上の一群のユダヤ系ドイツ語詩人たちがすでに両次大戦間期に活発な文学活動を行っていたこと、彼らとツェランとの間に密な交流があったことについては、東西冷戦による情報の遮断という事情もあいまって、西側ドイツ語圏で情報が共有されることはなかった。ツェランとの関連でブコヴィナの歴史的文化的文脈が注目されはじめる大きな契機は、ツェラン没後の一九七九年に刊行されたイスラエル・ハルフェン著『パウル・ツェラン　若き日の伝記』[5]である。ハルフェンは文学研究者ではなくブコヴィナ出身の医師で、世界各地に離散したツェランの友人や知人たちを捜しあて、生前のツェランについての情報を集めた。それにより、故郷チェルノヴィッツが、ツェランの社会的文化的背景を理解するうえで不可欠の要素であると、広く認知されるようになったのである。

ツェランおよび本稿で言及する四名の同郷詩人については、略歴を本稿の末尾に掲載しているので、ご参照いただきたい。本稿ではなかでも、ブコヴィナのユダヤ系ドイツ語詩人たちのメンターとされるアルフレート・マルグル＝シュペルバー（一八九八―一九六七）に注目し、さらにモーゼス・ローゼンクランツ（一九〇四―二〇〇三）とアルフレート・キットナー（一九〇六―一九九一）を加えた三名について考察する。この三名は、ブコヴィナがルーマニア領となった後に生まれたツェランとは異なり、ハプスブルク領時代のブコヴィナで生まれ育ち、ルーマニア領となった同地でドイツ語詩人として活発な活動を展開した。またルーマニアでのナチズム受容とユダヤ系住民の強制移送や殺戮を経験したことに加え、第二次世界大戦後もルーマニアに残りマイノリティとして生きることを選択したことで、社会主義体制下の抑圧を直截に受けている。そして何よりも特徴的なのは、最期までその詩作において韻律などの伝統的詩形式を手放さなかったことである。そのことに対する否定的評価が、彼らの受容が遅れた一つの要因でもある。

しかし彼らは、新しい文学潮流に対する無知や無理解からこのような姿勢をとり続けたわけではない。後述するように、彼らは表現主義などの前衛的文学に接しており、なかでもマルグル＝シュペルバーは一九二〇年代初頭に、パリやニューヨーク、ウィーンに居住し、最新の文学潮流を吸収するとともに、同地の詩人たちと緊密に交流していた。また後述するように、一九二〇年代前半までは、表現主義的な特徴を持つ詩作品も執筆していた。それにもかかわらず彼はその後、伝統的詩形式に回帰し、それを他の二名とともに堅持し続けた。彼らは自らを取り巻く状況、とりわけ自らの存在やその営みが、政治的にも社会的にもさらに文化的にも「周縁」に位置付けられようとしている状況を踏まえて、詩人としてのこのようなあり方を極めて意識的に選択したのである。本稿では、両次大戦間期から第二次世界大戦中、さらに戦後におけるこの三名の言説をとりあげ、彼らがドイツ語詩人としての自らの営みをどのように捉えていたのかを考察する。

考察にあたって特に注目したいのは、「周縁」に対する「中心」として何が意識されていたのか、という点である。先述したように、彼らは生涯、韻律などの伝統的詩形式を保持し続けた。この姿勢から、彼らを支えた「ドイツ詩」「ドイツ文学」の「カノン」すなわち規範にして正典の重要性が見えてくる。とりわけ本稿では、「ドイツ文学」における最高の「カノン」として捉えられたヨハン・ヴォルフガング・フォン・ゲーテ（一七四九―一八三二）の存在に着目し、マルグル＝シュペルバーの詩、そして詩人たちの詩作をめぐる言説を読み解く。もとより上記の三名には、詩人としての方向性に共通点がある一方で、自己と「カノン」との関係をめぐる言説で示された姿勢に相異なる点も見出される。それらの相違にも目を向けつつ、「周縁」で生きることを余儀なくされた彼らのドイツ語詩人としての選択の諸相を論ずる。

本題に先立ち次章では、ブコヴィナの帰属をめぐる複雑な歴史と、そのなかでのユダヤ系住民の運命を概観する。

ブコヴィナの帰属とユダヤ系住民の運命

ハプスブルク領ブコヴィナとユダヤ系住民

前述したようにブコヴィナは、一七七五年にオスマン帝国からハプスブルク帝国に割譲された。啓蒙専制君主として名高い皇帝ヨーゼフ二世（一七四一―一七九〇、在位一七六五―一七九〇）は対ロシアを意識し、ブコヴィナを帝国最東端の軍事的政治的拠点とするべく、植民とドイツ化を進めた。一七八〇年にはブコヴィナに関して五十年間の徴兵義務猶予令が発布され、これにより帝国内からのみならず、隣接する他国からも移住者を呼び込んだ。一七八一年の寛容令や一七八三年のユダヤ人同化令、一七八九年のユダヤ人解放令により信教や職業について一定の自由を得ると、ユダヤ人たちの多くは同化の道を辿った。また帝国は、ギムナジウムや実科学校などの中等教育機関を設立し、ドイツ語を授業言語とすることで、民族を問わず、ドイツ語ドイツ文化を身に着けた者に社会的地位向上の機会を与えた。

中等教育機関の在校生は民族も宗教・宗派も多様であったが、一八七〇年代後半からユダヤ系の生徒が急増する。チェルノヴィッツ帝国第一ギムナジウムでは、一八〇八年の創立当初、ユダヤ教徒の生徒は皆無であったが、一九〇七年秋に始まる年度の全在校生八〇一名中、ユダヤ教徒と申告した者は六二八名で、七八・四パーセントにのぼる。[6] 一八七五年にオーストリア統治百年を記念してドイツ語を講義言語とするフランツ＝ヨーゼフ大学がチェルノヴィッツに設立されるが、学生の多くはユダヤ系だった。創立して二十年余りの一八九六年秋に始まる年度では、全学生三九七名のうちユダヤ系は一六八名で、[7] 全体の四二・三パーセントを占める。

ドイツ語ドイツ文化に同化したユダヤ系市民は、地域社会における政治的、経済的、文化的主導権を得ていった。一八八八年のブコヴィナ商工会議所報告に基づく統計によると、多くの企業がユダヤ系である。[8] 行政においても、一九〇三年以降、チェルノヴィッツの統治は十年にわたり、二人のユダヤ系市長に委ねられた。

ルーマニア委譲後のユダヤ系住民の多重的周縁化

ハプスブルク帝国は、第一次世界大戦の敗戦により解体する。一九一八年十一月にはチェルノヴイッツにルーマニア軍が入城し、翌年のサン＝ジェルマン条約により、ブコヴィナは正式にルーマニア領となった。

ルーマニアは領土を大幅に拡大したが、新たに領土となった地域ではルーマニア系住民が十分な多数派を形成しておらず、とりわけブコヴィナでは、一九三〇年に至ってもルーマニア系住民の割合は四四・五パーセントにとどまっていた。[9] この事態に対し、ブコヴィナをはじめとする諸地域でルーマニア化政策が推進される。[10] ユダヤ系住民もまた、他の非ルーマニア系住民とともに、ルーマニアのマイノリティとして周縁化され、ルーマニア化政策の圧力にさらされることになった。

加えてユダヤ系住民は、さらに大きな困難を抱えることになる。一九二七年、ルーマニアの名門ヤシ大学の反ユダヤ主義学生運動を基礎として「大天使ミハイル軍団」が結成される。同組織はその戦闘組織「鉄衛団」とともに、議会制民主主義を含む既成の社会体制への批判を強め、とりわけユダヤ人を資本家層とみなして過激な攻撃の対象とした。そして一九三三年一月、ドイツでアドルフ・ヒトラー（一八八九—一九四五）が政権を掌握すると、ルーマニアのドイツ系住民はマイノリティとしての危機感から「本国」の支援を期待し、ナチズムに呼応した。同年十月、ルーマニア領トランシルヴァニア（ドイツ名・ジーベンビュルゲン）のドイツ系住民、いわゆるジーベンビュルガー・ザクセン人[11]は伝統的な自治会議「ザクセン議会」を開催し、ナチズムの血と土のイデオロギーを色濃くまとった「ジーベンビュルガー・ザクセン人民族綱領」を採択した。同綱領では、「ドイツ民族は神の祝福に恵まれた統一体であり、民族同胞は誰もが同じ血を分けあう我が兄弟である」という「信念」[12]が確認されている。

ドイツ系住民によるナチズムの受容は同時に、言語を中核とする文化的アイデンティティとしてのドイツ人概念からもユダヤ人を排除することにつながった[13]。

ブコヴィナもトランシルヴァニアも第一次世界大戦後にルーマニア領となった地域で、ドイツ語話者がマイノリティとなった後は、両地域に住むドイツ語詩人や文化人の間では、ドイツ系とユダヤ系とに関わらず交流が行われていた。トランシルヴァニアのブラショフ（ドイツ名・クローンシュタット）で刊行されていた月刊の文化雑誌『クリングゾール』[14]には、マルグル＝シュペルバーに加え、彼の仲介により、ローゼンクランツや同郷のユダヤ系詩人ローゼ・アウスレンダー（一九〇一―一九八八）の詩も採られていた。ドイツでヒトラー政権が成立した後も、一九三三年第四号にはアウスレンダーの詩が、同年第十号と第十二号にはマルグル＝シュペルバーの詩が掲載された。しかし一九三五年、前年に刊行されたマルグル＝シュペルバーの第一詩集『風景という比喩』への好意的書評が掲載されると、ナチズムの同調者たちから酷い罵りが寄せられたという[15]。一九三四年以降、ユダヤ系詩人たちの作品は掲載されていない。

この状況はブコヴィナでも進行した。一九三二年にドイツ系の編者二名によるブコヴィナ・ドイツ語文学アンソロジー『ぶな草紙』が刊行された際には、巻頭にアウスレンダーの詩五篇が、また巻を締めくくる形でマルグル＝シュペルバーの詩六篇が収められていた。[16] しかし一九三九年、同じ編者がアンソロジー『ブコヴィナ・ドイツ詩人帳』を編集し、ドイツのシュトゥットガルトで刊行した際には、ユダヤ系詩人の作品はまったく掲載されていない。[17] ドイツ語話者として、ともに文学営為に携わり築いてきた関係は断たれた。ユダヤ系ドイツ語話者は、ルーマニアのマイノリティというだけでなく、ドイツ語文化圏の構成員としての存在をも否定された。彼らは政治的にも、社会的にも、さらには文化的にも、多重的に周縁化され続けたのである。

第二次世界大戦期の軍事独裁体制とユダヤ人迫害

一九四〇年九月にイオン・アントネスク将軍（一八八二―一九四六）が首相となると、直後に国王カロル二世（一八九三―一九五三、在位一九三〇―一九四〇）は退位と亡命を余儀なくされ、「国家指導者」アントネスクによる軍事独裁体制が成立した。同年十一月、ルーマニアは日独伊三国同盟に加盟する。以後、ルーマニア国内でドイツ国防軍やナチスの武装親衛隊が大きな力を持ち、ルーマニアのドイツ系青年の多くがルーマニア軍ではなく、ドイツ国防軍や武装親衛隊に入隊した。[18] 一九四〇年当時、チェルノヴィッツを含む北ブコヴィナにはソ連軍が進駐していたが、アントネスク軍事独裁体制が成立すると、ルーマニアとドイツの連合軍は反転攻勢をかけ、翌年七月に北ブコヴィナを奪回する。そしてドイツ軍がチェルノヴィッツに入城したその日から、組織的なユダヤ人迫害が始まった。

　同年十月には、ドニエストル川東岸のトランスニストリア地域へのユダヤ系住民移送、そして市内でのゲットー収容が決定する。トランスニストリアには、収容所が最多で百以上設けられていた。[19] 移送されたユダヤ系住民数については資料によりまちまちで、不明な点も多い。ルーマニア側の資料に基づいたカルプによると、一九四一年九月一日付でブコヴィナに残留していたユダヤ系住民数は七万一九六〇人であるのに対し、一九四二年五月二十日付の調査では一万七〇三三人である。[20] ブコヴィナのユダヤ系住民の約四分の三にあたる五万四九一七人が、トランスニストリアへの移送開始を挟むわずか九カ月足らずの間に姿を消したことになる。また、一九四三年十一月十二日付で下された指令の回答として起草されたルーマニア内務省文書の草案によると、ユダヤ系の移送者はベッサラビアから五万五六八七人、ブコヴィナから四万三七九八人、ドロホイ他から一万三六八人の計十一万三三三人で、同日現在の生存者数は五万七四一人としている。[21] この数字から看取できるように、トランスニストリアへの移送者の死亡率は非常に高かった。

　本稿に登場するユダヤ系詩人たちの人生にも、移送の悲劇は決定的な傷を与えている。マルグル＝シュペルバーは友人たちの助力によりブカレストへ移り、移送を回避することができたが、キットナーは妻とともにトランスニストリアに、またローゼンクランツとツェランは別地域の労働収容所に送られた。ツェランの両親はトランスニストリアで死亡した。アウスレンダーは移送を逃れるために、一年余り、ゲットーの地下室を転々として身を潜めている。

第二次世界大戦後のディアスポラ

一九四四年八月二十三日、いわゆる「クーデター」によりアントネスク軍事独裁体制は崩壊し、ルーマニアは翌二十五日、連合国側として対独参戦を表明した。体制転換に主導的役割を果たした共産党は影響力を拡大し、以後ルーマニアは、東欧の社会主義ブロックの一翼を担うことになる。

第二次世界大戦末期にはルーマニア軍とドイツ軍の後退により、チェルノヴィッツを含む北ブコヴィナは再度ソ連軍の占領下に入った。ブコヴィナの南北分断は、一九四六年のパリ講和会議を経て確定し、北部はソ連邦ウクライナ領、南部はルーマニア領となった。東欧革命後の一九九一年にウクライナが独立を果たした後も、分断は変わってはいない。

故郷が分断されチェルノヴィッツがソ連領となった後、ユダヤ系住民の多数が故郷を離れ、各地へ離散した。詩人たちも同様で、ツェランはブカレスト、ウィーンを経て最終的にパリに居を定めた。アウスレンダーはニューヨークで生計を立てたが、年金生活者となった後、ウィーンを経てデュッセルドルフで最晩年を過ごした。マルグル＝シュペルバー、キットナー、ローゼンクランツは社会主義体制となったルーマニアでマイノリティとして詩作を続けた。だがキットナーは、一九八一年に西ドイツに亡命する。ひときわ数奇な運命をたどったローゼンクランツは、ソ連の情報機関に逮捕され、シベリアの収容所で約十年間を過ごした後、一九六一年にルーマニアから西ドイツへ出国させられた。

故郷を離れたブコヴィナのユダヤ系詩人たちはそれぞれの移住先で、言語的にも、場合によっては政治的にも、マイノリティとしての立場に苦悩しつつ、ドイツ語による詩作を続けた。第一次世界大戦後にマイノリティの文化営為となったブコヴィナのユダヤ系ドイツ語文学は、第二次世界大戦中にショアーすなわちホロコーストの悲劇を深く刻印された。この文学は、その刻印を背負いつつ離散先の世界各地で展開されることで、マイノリティ、ショアー、ディアスポラという三重の苦難を背負った営みとならざるをえなかったのである。

ルーマニア領ブコヴィナでユダヤ系ドイツ語詩人であること

出発点としての表現主義受容

ブコヴィナでのドイツ語文学が、地域の枠を超えた評価の対象となりうる文学的水準に達したとされるのは、ルーマニア領となった後のことである。キットナーは後年、この文学の歴史を振り返り、「ルーマニア支配下での真の意味での近代的ドイツ文学成立」に触れ、逆説性を強調したうえで、その「成立」の要因として若い世代の表現主義文学受容を挙げている。

この逆説的状況つまり、ルーマニア支配下での真の意味での近代的ドイツ文学成立は、文学的才能のある若い人々が戦争とりわけロシア軍の占領から避難するためウィーンに行き、その地で、文学的モデルネ、特に表現主義と接触したこと、そして、ブコヴィナの故郷に帰還した後、しばしば除隊した戦争参加者として、自分の経験を文学的に生かし始めたことから説明できる。[22]

実際、一九一九年一月から九月までの短命ではあるが、ブコヴィナでは『神経』という表現主義雑誌が刊行され、マルグル＝シュペルバーもこの雑誌の重要な寄稿者の一人だった。しかしキットナーは敢えて触れていないが、特筆するべきことがある。この雑誌の編集主幹であるアルベルト・マウリューバー（一八九六―一九五一）をはじめ、ほぼすべての編集者や寄稿者はユダヤ系の大学生だった。ハプスブルク領時代、この地のドイツ語文学の中心はギムナジウムのドイツ系教授陣であった。[23]ブコヴィナのルーマニア委譲と同時期に、ドイツ語による文学の担い手が替わり、またその質も変わったのである。

マルグル＝シュペルバーは『神経』誌が廃刊となった後、一九二〇年には故郷を離れパリへ移った。[24]パリでは、詩人イヴァン・ゴル（一八九一―一九五〇）と親しく交流し、またギョーム・アポリネール（一八八〇―一九一八）の作品に傾倒し、シュルレアリスムに触れた。翌一九二一年、彼はニューヨークへ移り、いくつかの職を転々とした後、一九二二年にルーマニアの著名な銀行マルマロッシュ・ブランク銀行ニューヨーク支店の支店長となった。並行してマルグル゠シュペルバーは、『日曜新聞』や『ニューヨーク民衆新聞』など、同地のドイツ語新聞に寄稿し、各種の文化人とも交流した。またウォルト・ホイットマン（一八一九―一八九二）など十九世紀の詩人のみならず、ウォレス・スチーブンス（一八七九―一九五五）やE・E・カミングス（一八九四―一九六二）など、アメリカの同時代の詩作品を吸収した。出版には至らなかったが、この時期に執筆された、それらの詩のドイツ語訳の存在が指摘されている。[25] またマルグル゠シュペルバーの遺品を整理したキットナーは、遺された厖大な書簡の差出人として数多くの詩人を挙げているが、そのなかにはカミングス、そしてT・S・エリオット（一八八八―一九六五）の名もあるという。[26] マルグル゠シュペルバーは、時代の先端の文学潮流に触れ、そこで培われた人脈は、彼が二十世紀のヨーロッパ史に翻弄されるなかでも途絶えることはなかった。

一九二〇年代前半に成立したとされている詩「エピソード」に、当時、マルグル゠シュペルバーが吸収した世界を看取することができる。没後、チャウシェスク体制初期の統制緩和を背景にはじめて公開された作品だが、表現主義を意識し、非常に都会的なセンスを備えている。

哀れなパリの娼婦
何事にも応ずる悪徳の極みの女

今夜お前とベッドをともにし
不自然に昂められた快感も
そして嫌悪感も
すべてが終わったとき、
そしてお前も仕事を終えて無頓着に愛想よく空を見つめていたとき、

そのとき突然感じた
ふとんの下には僕らと一緒に別の物があったのを
お前の人形、
お前の堅信礼の晴れ着、
そしてお前の初めてのラブレター

僕は分からなくなって
神を呪った[27]

この詩では、都市の最下層を生きる女性が描かれている。その際、詩的主体は、春をひさぐ女性、そして彼女を性的に搾取する自らの罪にまみれた姿から目をそらすことはない。またその行為に、抗いがたい性的昂奮や快感があること、それゆえに一層の罪悪感があることをも示している。都会を背景に、社会の矛盾や行き詰まりを意識しつつ、死や性といった生のグロテスクな側面を赤裸々に描こうとする文学的モデルネの影響が強く感じられる。また詩の後半では、描かれた娼婦に、無垢な子供時代があったことを思い起し、無垢な子供が「悪徳の極みの女」に身を落とさざるをえなかったことを示唆することで、社会の矛盾を強く告発している。表現主義は近代化が進んだことで露呈した社会の矛盾を告発する文学でもある。マルグル＝シュペルバーはパリやニューヨークでの経験を重ね、表現主義が生まれた社会的背景を身をもって感じ、作品に盛り込むことができたのである。

詩人としての「四重の悲劇」

一九二四年、マルグル＝シュペルバーは病を得て、ヨーロッパに帰還する。ウィーンのサナトリウムでの長期療養後に故郷に戻り、『チェルノヴィッツ朝刊』紙の文芸欄を担当することになる。しかし時代の最先端の文学潮流を知っているマルグル＝シュペルバーが辺境にある故郷で得たのは、自らも含め、同地のユダヤ系ドイツ語詩人たちの文学の営みが多重的に周縁化され、見通しのきかない危機的状況にあるとの認識だった。既述のとおり、新たにルーマニア領となった地域ではルーマニア化政策が進められる一方、一九二七年以降は反ユダヤ主義がルーマニア国内で跳梁していた。またナチズム受容により、ドイツ語話者マイノリティ内部の分断も進んだ。この状況を踏まえマルグル＝シュペルバーは、自分たちの文学を取り巻く状況を「四重の悲劇[28]」と呼んでいる。この認識が示されているのは、チェルノヴィッツで開催されたブコヴィナのユダヤ系ドイツ語詩人たちの詩の朗読会のために手書きされた講演原稿で、一九三〇年代前半、おそらくヒトラーの政権奪取後に書かれたものであろうと推定されている。

私の本題に入る前に、実に異常かつ一回的な仕方でこのユダヤ系文学の全本質と運命を定めている状況についてお話ししなければなりません。ここで、ハイネのことばを変えて使わせて頂きたいのですが、この文学は四重の悲劇に苦悩しているのです。第一に、その担い手たちは、ある時代に詩人であるということです。つまり、婦人帽子店のショーウィンドーの前で妻があれこれの帽子を買ってちょうだい、まるで詩のようだから、と頼むと、夫が軽くあしらうように肩をすくめ、「でもねえお前、このご時世で誰が詩を買うっていうんだい」と答えるというジョークが語っているような時代に、です。第二に、これらの詩人たちはユダヤ人です。つまり、非ユダヤ人の人々はこれらの詩人たちと一切関わりを持とうとしないのです。――彼らが自分たち自身の詩人たちをも餓えさせていることは、別の問題です。――そして、ユダヤ人たちのもとにユダヤの詩を持って行くと、自分たちはこのご時世で別の心配事があるのだ、と彼らは説明するのです。第三に、ブコヴィナのユダヤ系詩人たちは圧倒的多数が「ドイツ語」で書いており、このことは、ドイツに住んでいるユダヤ系詩人たちに対しても、その祖先が数百年にわたって彼の地に住んでいたというのに、ドイツ語で詩作する資格を有する権利を認めようとしない時代にあっては、特に悲劇的な事態なのです。ですからさて、固く結束した一群の東方ユダヤ人でかつドイツ語で書く詩人たちが現れてくることがどのような感情で迎えられるか思い浮かべて頂きたいのです。ブコヴィナのユダヤ系詩人たちの、第四の、そして最も本質的な悲劇は、彼らがまさにあの「ブコヴィナ」に住んでいるということにあります。そこには彼らに対する反響もなければ、読者もいない、出版社もなければ、定期刊行物により広く読まれる可能性もない、雑誌もない。あるのは日刊紙ばかりで、法廷の報告や地方ではお定まりの、その時々に話題になっている日々のくだらない話が非常に大きな役割を果たしているので、決断を下す編集者たちは当地のユダヤ人作家の詩を掲載するよりも、まず通例は意気消沈しているのでしょう[29]。

「四重の悲劇」を改めて整理すると、第一は、当時の社会が詩や文学の価値を認めようとしないことであり、第二は、詩人たちがユダヤ系であることで、非ユダヤ人からは敬遠され、ユダヤ人からは、もっと深刻な問題がある、と拒否されることだという。第三は、ユダヤ系詩人がドイツ語で詩を書いていることに対し、ドイツやオーストリアなど主要ドイツ語文化圏でさえ、ユダヤ人がドイツ語で書くことの「権利を認めようとしない」状況であるなか、その外部に居住する者にはなおさらその「権利」は否定される、ということである。ユダヤ系ドイツ語詩人にはドイツ語文化圏への帰属が認められず、またブコヴィナが辺境であることで、そのこと自体が問題として意識されることもない。そして第四として、まさに辺境であることで、地域社会一般の文化に対する意識の低さに詩人たちが悩んでいることも告げられている。なおマルグル＝シュペルバーは自分たちに対して「東方ユダヤ人」という表現を用いている。これは単に主要ドイツ語文化圏から見て東方に住んでいるユダヤ人、という意味であり、イディッシュ語を話し伝統的な生活様式を保持しているユダヤ教徒に限定しているわけではない。しかし「東方」という地理的表示が主要ドイツ語文化圏にとって「後進」を意味し、その視点から「ユダヤ人」を語るとき、同化の有無に関わりなく否定的意味を帯びることは十分に意識していたと思われる。

この講演の時点ではまだユダヤ系住民の強制移送などは行われていない。しかしマルグル＝シュペルバーは、自分たちが何重もの意味で社会から疎外され「周縁」に位置付けられていることを意識し、そのような周縁化のなかで作品を広く発表することもかなわず、自分たちの存在が忘却を強要されることを恐れていた。彼はこの「四重の悲劇」を背負った文学の現状を次のように吐露している。

これらの不利な時代状況にもかかわらずなお存続し生き生きと発展し続けているこの非常に貴重なユダヤ系文学は、〔……〕知られていないも同然なのであり、またすでに冒頭で皆様にお話ししましたように、そして誰が見るところでも、滅亡へとゆだねられているのです。[30]

辺境の地ブコヴィナにおけるマルグル＝シュペルバーの詩人としての活動は、この極めて厳しい認識を踏まえざるをえなかったのである。

伝統への回帰

ドイツ詩の正統なる系譜へ

「滅亡」の危機に抗するかのように、ブコヴィナのユダヤ系ドイツ語詩人たちは一九三〇年代、相次いで詩集を刊行した。ドイツやオーストリアなどで作品を広く世に問うことは困難であり、発行元はチェルノヴィッツの書店であるか、あるいは私家版での刊行ではあったが、実現にあたってはマルグル＝シュペルバーの尽力が極めて大きかった。[31] ローゼンクランツは一九三〇年に第一詩集『詩で綴る人生』を、一九三六年には第二詩集『ステンドグラスの窓』を、一九四〇年には第三詩集『石板』を世に送り出した。キットナーは一九三八年に第一詩集『雲の騎手』を、またアウスレンダーは一九三九年に第一詩集『虹』を刊行している。

マルグル＝シュペルバー自身も一九三四年に第一詩集『風景という比喩』を私家版として刊行したが、その序文で示された詩作に対する姿勢は、表現主義の影響がみられた一九二〇年代前半とは大きく異なる。

序文の冒頭でマルグル＝シュペルバーは、ブコヴィナの厳しい文化状況に触れ、そのうえで「ドイツ西部のはるかに広大な言語圏でのより広範な活動をすべて断念し、自らの狭隘な故郷に対し、自作という事例によって、この地に文学の生き生きとした力が人知れず、顧みられることなく溌剌と活動していることを証ししよう」との「決心[32]」を強調する。そのために選択したのは「自作により、ひたすらブコヴィナへの思いを明らかに[33]」することであるという。「ブコヴィナの風景こそ、——ごく少数の例外を除けば——、絶えずさまざまに変化しつつも彼〔著者〕の詩作の主題であり、また本来の意味でこれらの詩が書かれる目的と定められているもの[34]」であるというのだ。

注目すべきは、詩集に収められたすべての詩の主題が明確な意図にもとづき故郷の風景に限定されていることである。マルグル＝シュペルバーは、「著者は意図的に題材の範囲を限定したのであり、時折は眠気を催すような単調さに至るまで、同一の主題を選び続けた[35]」と宣言している。そして、それに先立って次のような決意を示している。

著者はさらに、作品の主題の形式や選択、その取り扱いにおいて、ありとあらゆる時代遅れで慣習的なものに与していることを率直に認め、現代詩人に数え入れられることをすすんで放棄することをあらかじめ表明する。[36]

悲壮なまでの覚悟をもって、彼は現代詩から距離を取ろうとした。では、ドイツ語圏のウィーンのみならず、フランスやアメリカの大都会に暮らし、都会的な環境に浸り、その地の最先端の現代詩を知悉するマルグル＝シュペルバーは、なぜ、「時代遅れで慣習的なもの」に専念することを選択し、その選択によって「現代詩人に数え入れられることをすすんで放棄する」ことまで覚悟したのだろうか。彼は、次のように説明している。

なぜなら著者は、原像（das Urbild）に達することは不可能であるという悲劇的認識ゆえに、この原像にせめて近づこうとの試みを何度も繰り返す必要はないと思うからである。一篇の詩は、それを生ぜしめる偉大な対象の代替となることは決してできないし、芸術家性の尺度はただ一つであり続けている。すなわち、この対象に接する体験の真正さと強さであり、感受性をもった読者の魂のなかでこの体験が繰り返されるよう働きかける能力である。それゆえに、一本の同じ木が、百篇の偉大なる詩を生む契機となりうるのであり、それゆえに本書においても、ただ一つの不思議な自然現象の体験に対し、一連の作品すべてが提供されているのである。[37]

マルグル＝シュペルバーにとって「芸術家性の尺度」であり続けているただ一つのものは、「一篇の詩を生ぜしめる偉大な対象に接する体験」すなわち風景という対象に接することで主体が体験すること自体の、そしてその体験の内実の「真正さと強さ」であり、「感受性をもった読者の魂のなかでこの体験が繰り返されるよう働きかける能力」である。このような詩観は、詩人の体験から必然的に生じ、またそれゆえに読者に対する喚起力を秘めた音楽性を備えたものとしての韻律や定型詩の肯定へとつながる。またそれは、文学的規範の意識的継承をも意味する。

興味深いのは、マルグル＝シュペルバーが「原像 Urbild」に言及していることである。「太古の」「根源的」「出発点となる」等を意味する接頭語 ur- と「形象」を意味する名詞 Bild からなるこの語をマルグル＝シュペルバーは、「それ〔詩〕を生ぜしめる偉大な対象」と言い換えているが、この語の背景に、ドイツ古典主義から脈々と流れるドイツ文学の系譜を読み取ることもできる。Urbild はゲーテの自然観、さらには対象把握のあり方を考えるうえでも極めて重要な概念であり、マルグル＝シュペルバーが現代詩を断念してドイツ詩の伝統的あり方に回帰しようとしていることに鑑みれば、この概念に対するマルグル＝シュペルバーの見解は、十九世紀を通じて形成されてきた国民文学としてのドイツ文学観にとり「カノン」すなわち正典にして規範でもあるゲーテ[38]に対し、自らをどのように位置づけようとしているのかをもうかがわせる。

ゲーテの詩にUrbildという語が登場するのは、詩「動物の変態(メタモルフォーゼ)」である。自然科学のみならずゲーテの対象把握全体にとって重要な「原植物（Urpflanze）」の概念に収斂される「植物の変態」に関する思念を動物に敷衍し自らの自然観を詠ったもので、ゲーテ晩年の一八二〇年、「神と世界」の表題で他の詩とともにまとめられ、発表された。この詩の第一詩節でゲーテは、自然が「最高の法則」を定めており、「あらゆる生命を制限[39]」していると詠う。そして第二詩節で、その「最高の法則」がいかなるものであり、自然による生命の「制限」が、いかなる生命の多様性をももたらしているかに触れると同時に、この多様性の根底にあるUrbildの存在に言及している。ただしゲーテの形態学の文脈において、Urbildは「原型」と訳す方がふさわしい。

その肢体はすべて永遠の法則に従って形作られ
そしてひどく風変わりな形にも　密かに、かの原型が保たれている。
だからどのような形の口も　その体にふさわしい
食餌を取るに適している。[40]　〔……〕

ゲーテはこうして、動物の形態の多様性と普遍性について詠うが、さらに同じ詩節で、このような多様性と普遍性を生み出す、自然の「制約」を称え、「聖なる円環」が閉ざされていることに、神の計らいを見出した。すなわち、限界を設けたことが動物の形態の完全さを生み出したというのである。

だが内側で、より崇高な被造物の力は、
生動する形成の聖なる円環のなかに閉ざされている。
この領域を神は広げず、自然もそれを重んじている。
なぜならつまりは、こうして制約されてこそ、かの完全なるものが可能になったのだから。[41]

しかしながら、マルグル＝シュペルバーは、ゲーテに倣い現象の多様性の根底に潜む普遍性を描出することができると考えていたわけではない。彼はゲーテへの敬意を示すかのようにUrbildに言及したが、ゲーテとは異なり、「原像に達することは不可能であるという悲劇的認識[42]」があると言明している。「悲劇的」という形容詞は、詩人としての力量不足を示唆するというより、ゲーテが生きた時代と自らが生きる時代との間に横たわる近代の百年を念頭に置いているように思われる。しかもそれは単なる時間的な隔たりではない。ゲーテの盟友フリードリヒ・フォン・シラー

（一七五九―一八〇五）は、ゲーテのうちに「素朴詩人」すなわち古典古代の詩人のように自然と分裂のない関係を保持している詩人の側面を見ていたが、それに対し、自らも含め多くの近代詩人は失われた自然を求める「情感詩人」であり、「諸対象が彼に与える印象について省察」し、この「省察」にのみ「彼自身とわれわれを巻き込む感動は基づいている[43]」と述べた。ここでいう「われわれ」とは読者のことであり、自然は詩人の「省察」を経て、読者に伝えられる。マルグル＝シュペルバーは自らの自然との関係が近代という時代を経て、ゲーテと自然との関係のような濃密さを失っていることを悲しみをもって認識しつつ、シラーやその後の世代のドイツ近代詩人たちと同様、ゲーテが啓示したが失われた世界、神すなわち絶対的存在が定めた規則のもとにある自然と人間という根源的一体性を秘めた世界、普遍性を内在させた世界を、その断片なりとも詩的言語の世界に映し出そうとした。そのために詩の主題をブコヴィナの風景に限定することを決意し、自らの詩作において「ただ一つの不思議な自然現象の体験」に傾注しようとしたのである。

この認識と決意の背景には、時代に対するマルグル＝シュペルバーの峻烈な危機感があり、それゆえ一層強い、「自然」が示す普遍性への思いがある。序文を彼は次のように結んでいる。

しかし、時代のありとあらゆる狂気や憎悪、闘争や痙攣をも、永遠の風景は耐えて生き残る。微笑みを浮かべつつ崇高に、厳かでありつつ沈黙を守って。そして人間の結びつきがどれほど完全に形を変えようとも、その上方には、夜の星空という同じ謎が広がっているのであり、その謎は太古以来、詩人の涙をたたえた目のなかに映っているのだ。[44]

マルグル＝シュペルバーは、「時代のありとあらゆる狂気や憎悪、闘争や痙攣」、そして完全に姿を変えてしまった「人間の結びつき」に直面しつつ、それらを超越する根源的価値をたたえた世界を、「夜の星空」のように太古から変わらぬ自然のなかに見出そうとした。彼はそれを「永遠の風景」と呼び、「風景」に顕現する自然に絶対性を希求している。

ゲーテは晩年の「箴言と省察」で自然の「無際限の生産力」について述べ、次のように「わたしたちの現世」と対比させた。

私たちが悪や不幸と呼ぶものはすべて、自然が生起しつつあるものすべてに場を与えることも、まして永続性を与えることもできない、ということに起因している。[45]

ゲーテは自然の壮大な営みのなかで人間の苦悩を捉え、それを自然の普遍性に還元し、相対化しようとした。マルグル＝シュペルバーは、人間の表層的営みにより「曇らされている」時代もまた、自然の圧倒的力の前に、永続性を持ちえないことに思いを寄せている。そのような時代に対し、

「あらゆる美にして静なるものへの感覚や感受性」を研ぎ澄まし、共感の涙をたたえつつ、曇りなき目で自然の、そして風景の深奥に潜む絶対的世界の存在を希求し続けることが詩人としての使命であると考えたのである。

ブコヴィナの風景にみる「普遍性」

マルグル＝シュペルバーが自らの詩作で希求したブコヴィナの「永遠の風景」とはどのようなものなのだろうか。一九三〇年代に発表された二つの作品を読解したい。

彼の第一詩集『風景という比喩』は、冒頭に母へささげた詩が掲げられ、残り六十五篇の詩が十九篇、二十一篇、五篇、二十篇の四部に分けられ、それぞれ「風景」「朝昼晩と四季」「月」「アラベスク」との表題を持つ。「朝昼晩と四季」の部では一日の時間の移り変わりや四季を取りあげ、時がゆるぎなく刻まれていくなか、確固たる法則に従って移り変わる自然が、人間を包み呑み込んで行く姿を詠っている。「初雪」もそのような詩の一つで、初出は一九三三年、トランシルヴァニアのドイツ語文化雑誌『クリングゾール』第十二号である。ナチズムがルーマニアに浸透するなか、マルグル＝シュペルバーがドイツ系ドイツ語話者の雑誌で発表できた戦前最後の作品ということになる。[46]

水澄みわたる池の白鳥のように静かに、
絹のように繊細に柔らかに、飛んできたのは
ひんやりとした奇跡、白く輝き、悲し気に
夢のように淡く、そんなふうに初雪がやって来た。

手に触れると消えていく気高き綿毛は、
死んだ蝶たちのように揺らめき落ちてきた。

雪は優しく顔に口づけし、
大地の果ては見えなくなった、果てもなく、広く明るく輝く。

雪は沈んでいった、音もうち消し重苦しく。
今あるのは雪のみだ、もはや風景はないのだ！

夕べの時も雪の大地も蒼ずむ。

だが屋根からは白い煙が弧を描いている。

そして清冽な空気が暮れなずむ光の壺から香りたつ。

世界は深く呼吸をしながら静かにたたずんでいる。[47]

「初雪」は淡く、繊細に、やさしく癒すように不意に詩的主体の前に姿を現す。しかし、詩的主体はひらひらと舞う雪片を「死んだ蝶たち」のようだと感ずることで、生のみならず死をも司る自然の二面性が示唆されている。優しく淡く降り始めた雪は、まもなく大地を覆いつくす。しかしこの段階では雪は、まだその恐ろしさをひそめている。やがて雪は、さまざまな騒乱や苦悩をも抱きかかえている人間の営みを白一色に覆いつくし、人々を苦しめる境界線をも消し去り、すべてを輝く白紙として示す。雪は人間の営みに対し、音さえも消し去る圧倒的な力をふるい始める。「風景」には人の関わる余地があるが、もはや「風景」は存在しない。ここではじめて詩的主体は自然の圧倒的な存在を前に驚きの声をあげる。そして最後の二つの詩節では、この圧倒的な自然の力のなかに、再度、人間の存在が描きこまれ、自然の力のなかに人間が許容され、ゆるぎない法則のもとで落ち着いた営みを続ける世界の全体が提示されている。ここにはまさに、「微笑みを浮かべつつ崇高に、厳かでありつつ沈黙を守る」世界が示されている。

「初雪」に降りこめられ人間が自然に圧倒されつつも抱かれている様が描かれるなかで注目したいのは、詩的主体が当初は過去形で詠っているが、第五詩節第二詩行に至って、現在形となり、その後は最後まで現在形が保持されていることである。最後の二行に描かれた人間と自然の関係を、マルグル＝シュペルバーが現実のものとして希求していたことが伺える。

第一詩集の五年後、一九三九年に、第二取集『秘密と諦念』が刊行される。この詩集には五十四篇の詩が十四篇、十四篇、二十六篇の三部に分かれて収められ、それぞれの部には「秘密」「諦念」「神話書」という表題が掲げられている。そして詩集の冒頭、「秘密」の最初に置かれた詩「風景の一日」の最終行から、詩集の表題がとられている。

朝は紅(くれない)に焼け染まる雲のなかにいた。
ほのかに輝きながら香しい露の間から頭をもたげた。
髪にまとった羊飼いの笛の歌と
鳥たちのさえずりを、緑輝く野のいたるところに運んで行った。

昼は押し黙ったまま、ぎらぎらと燃え盛っていた。
麻痺したような静けさをついて眠たげに

大鎌の歯を打つ音や蜜蜂の群れの
羽音が草地ひろがる斜面に響いた。

夕べは黄金の涙のようにやって来た。
最後の風がゆらめいて静まった。
そして蒼ずんでいくなか、白鳥のような雲は光り輝き
やがて安らかにその故郷へと滑り流れていった。

それから夜が穏やかな羽ばたきで降りてきた。
その顔(かんばせ)は星々の光で溢れていた。
夜は万物の故郷への思いを撫でていき、
そしてあらゆるものが秘密と諦念になった。(48)

非常に抑えた静かな口調で、夜明けから昼を経て日没に至り、やがて夜となる一日の風景が、朝昼晩夜を示す四つの詩節で詠われている。それぞれの時間帯の風景が具体的に描かれているが、他方で、その風景は極めて普遍的であり、ブコヴィナの地域的特徴を帯びているわけでもない。都

市部を除く地域であれば、どこにも当てはまる。全体を貫いているのは「静けさ」である。朝まだきの鳥たちのさえずりは、周囲の静けさがあってはじめて鮮やかに響く。また太陽が高く昇るなか、丘陵の斜面にひろがる草地の草を刈る大鎌の刃をハンマーで叩いて刃こぼれを直す金属音や蜜蜂の群れの羽音も同様に、周囲の静けさをより際立たせている。夕刻となり日没が訪れると、空は次第に蒼みを増してやがて闇に沈んでいく。そのなかで、夕日を浴びつつ空に浮かび白鳥のように見えた雲も光を失い、姿を消していく。夜の帳が下りつつある空間のなか、雲のどことも分からぬ行先を詩的主体は「故郷」と呼ぶ。やがて闇が完全に周囲を包み、星々が夜空を埋め尽くすと、ありとあらゆる存在は「故郷への思い Heimweh」を、すなわち、自らの存在の根源へ帰還しようとの虚しい思いを抱き、その愁いを夜の闇が撫でていくことで慰めを与える、という。夜の闇が深まることで万物は活動を休止し、眠りのなかで癒しを与えられる。そのとき、万物は「秘密と諦念」になるというのだ。

自然との関連で「秘密」が語られるとき、再び、自然を「聖にして公然たる秘密」と詠ったゲーテ晩年の詩「エピレマ」の一節[49]が想起される。「動物の変態」でも詠われていたように、ゲーテにとり自然は神の計らいのもとにゆるぎなき法則を持ち、その法則の制約のもとにあるからこそ、完全な存在でもある。そしてこの神の計らいや法則を内に秘めた自然は自らのすべてを万人に開示している。しかし、人間もまた自然の内部で他の存在と同様、法則の制約のもとにある有限の存在であるがゆえに、自然は秘密として立ち現れる。それゆえゲーテは自然を「聖にして公然たる秘密」と呼んだ。

同時に、ゲーテは、自然の法則によって制限された存在である人間は、自らの最善を尽くすことを当然の前提としつつも、この制約を超えて無限なるものを求めるべきではない、とも考えていた。『箴言と省察』の「認識と科学」の項に収められている周知のゲーテのことば「思索する人間の最高の幸福は、究めうるものを究め尽くし、究めえないものを心静かに崇めることだ[50]」は、上記の考えを踏まえている。自然を究めつつ、その法則のなかに人間の認識の極限を超えた絶対性を認めて、有限なる自らの存在を超えた領域への敬虔な思いに安らうこと、そこにゲーテは幸福を見出していた。

マルグル＝シュペルバーにとり「秘密」や「諦念」は、もとより自然科学における認識の問題と直接関係があるわけではない。しかし、ゆるぎない法則をもって人間世界を包む自然の循環のなかで、万物が夜の眠りにつくとき、万物はこの循環に身をゆだねている。それはまた、法則の内にある自らの存在の制約を受け入れることでもある。そのとき万物にとり自然は、全き秘密となり、また万物はその法則に従うことで自らの諦念を示すことになるが、同時に自然に包まれ癒されていく。

ここにはゲーテのような確固たる自然への信頼にもとづく諦念は見当たらない。一日の各時間帯の風景を貫く「静けさ」は、どこか不穏な要素を含む沈黙としても感じられる。そして詩的主体は万物の「故郷への思い」すなわち郷愁に言及するが、それはすなわち、万物が自らの存在の根源へ回帰しようとしても叶わないことを示している。詩的主体は、夜の闇のなかで何万光年も離れているかもしれない星々の光になかに、時代に翻弄される人間世界とは異なる永続性を帯びた時間を見出す。詩的主体に可能であるのは、人間の有限性を諦念のうちに受け入れ、自らにすべてが啓示されることはないことを理解しつつ秘密として目に映る自然の永続性を信じ、疲れた心と身体を夜の眠りに委ねることだけだ。だが、その諦念が成立するためには、失われたものとしてではあれ、世界の普遍性を信じ続けなければならないのである。

そのような意味でマルグル＝シュペルバーは、ゲーテが示した世界の根源における一体性を希求せざるをえなかったし、詩作を自然詩に集中させるべき理由があった。だがそれは極めて孤独な道だともいえる。社会主義的統制がまだ確立する前の一九四五年十一月九日と日付が添えられた短文「詩論」でマルグル＝シュペルバーは、「孤独」こそが詩人にとって「世界であり人生であり運命である」と記している。そしてその「孤独」のうちに、「郷愁」つまり「故郷への思い」がゆったりと舞うことに「詩」を見出している。

詩は孤独のうちにゆったりと音もなく舞う郷愁だ、郷愁は夢遊病のようにくつろいで歩いていく、目を閉じ憧れにみちて深く呼吸しながら、詩人にとっては世界であり人生であり運命であ

る孤独の、ガラスのように透明な明るさを通り抜けて。(51)

マルグル＝シュペルバーは自らが求める世界との懸隔を前に、失われた世界への郷愁を受け入れ、そこから詠いだそうとする。詩「風景の一日」の終結部で詩的主体の前にひろがる星空には、自然の絶対性が暗示されている。この絶対性、普遍性こそ、マルグル＝シュペルバーが自らの詩作の唯一の主題であるという「風景」に対して「永遠の」という形容詞を付した理由である。だが同時にそれは、ゲーテには可能であった自然との関係を失いつつも、その世界を仰ぎ見た先人のドイツ語詩人たちの系譜に連なることでもあった。

「カノン」の系譜への参与を求めて

メンターと目されていたマルグル＝シュペルバーがドイツ詩の伝統的カノンへの回帰を表明したことは、同郷の詩人たちを鼓舞した。彼らはメンターの意図を推し進め、自らもその道を歩いて行こうとする。興味深いことだが、マルグル＝シュペルバー自身は自らのテクストのなかでゲーテの存在に直接言及することはなかった。それに対し、ローゼンクランツは、意図的にマルグル＝シュペルバーの詩作活動をゲーテを頂点とするカノンの系譜に位置づけようとした。

ローゼンクランツは『秘密と諦念』に関する新聞の文芸欄用記事原稿「アルフレート・マルグル

＝シュペルバーの新刊詩集について」を執筆している。この原稿はルーマニア国立文学博物館所蔵のマルグル＝シュペルバーの遺品中から発見されたもので、執筆当時に印刷に付された証拠は現在のところ見当たらず、原稿に留まっていた可能性がある。[52] しかしそこには、マルグル＝シュペルバーが希求した普遍的絶対的自然を描く詩的世界がどこに通じるものかについて、多くの示唆を読み取ることができる。

『秘密と諦念』。アーモンドの殻のような題名だ。苦味と遠さに満ちている。詩人は日の当たる公の場を諦め、自らの豊かな才能の秘密へと身を引いている。もとより、言語（ことば）には、いくら新聞などがあろうとも、今もなお神の存在が息づいているし、その言語（ことば）の精神の虜になっていることは、絶対に恩寵だ。

　ドイツ語を用いていると、言語（ことば）を植え替えようとか月並みにしようとすれば、他の言語を用いているよりも強く、より神秘的に、それゆえに昔からのことではあるがより近寄りがたく、発芽を促す水気を含んだ創造の日々の風が吹いてくる。この言語に本当に住まうことができるのは、そもそも、このようなことができるとすればだが、天使か魔物、賛美する者か創造に共に携わる者だけだ。ここには、凡庸が許される余地はない。ヘルダーとシラー、ヘルダーリンとクライスト、リルケとゲオルゲの間に確たる足場はない。創造をもたらす混沌（カオス）があるのみだ。

もとよりゲーテは、これら世界を担う者たちの巨大な身体の周りに、宇宙的精神の持ち主として、原世界層や超世界層（Urwelt- und Überweltatmosphäre）を織り出してくれている。それらの天球層を私たちは言葉で表現することはできないし、せいぜい一部を感じ取りうるだけだ、だが、それらを感ずることができるだけでも、その人はなんと幸福なことだろう！　これら天球層をなす一つの基本物質、ほろ苦くうっすらと輝く基本物質と、私はハイネのことを呼びたい。もう一つの基本物質はプラーテンだ。

この序文は、私たちブコヴィナ詩人たちが生まれるまでの前史を簡潔に要約しようという試みだ。新たに生まれるこのごくささやかな著作物には、万有の全諸力と万有が過ごした数百万年もの歳月すべてが共に働きあっている。同様に、この詩人のなかでも、そして詩人の言語（ことば）のなかでもだ。だからそれら二つは、最後の審判の日に至っても変わることなく、生れ出てはじめて光を浴びたときと同様に、古く、力強く、賢明で、手付かずの清らかさがあるのだ。[53]

ローゼンクランツは、冒頭で、詩的言語と新聞などのメディアでも用いられる日常言語とを明確に区分し、前者には「神の存在が息づいている」と述べることで、詩的言語の絶対性を強調する。そのうえで彼は、詩的言語と日常言語の区別にかかわらずドイツ語の特性に触れているが、当初はドイツ語一般について語っていたはずが、まもなくドイツ語の特性は、その詩的言語としての側面に集約されていく。彼はドイツ語という言語に「本当に住まうこと」の難しさに触れ、「ここには凡庸の余地はない」と断言したうえで、「創造をもたらす混沌（カオス）」に生きた、複数のドイツ語詩人や著作家たちの名を挙げる。

列挙されているヨハン・ゴットフリート・フォン・ヘルダー（一七四四—一八〇三）、シラー、フリードリヒ・ヘルダーリン（一七七〇—一八四三）、ハインリヒ・フォン・クライスト（一七七七—一八一一）、ライナー・マリーア・リルケ（一八七五—一九二六）、シュテファン・ゲオルゲ（一八六八—一九三三）はいずれも、表現主義をはじめとする二十世紀の前衛文学とは一線を画す。ローゼンクランツは彼らを「世界を担う者たち」と呼び、ドイツ文学という「天球」に瞬く存在として提示しているが、さらに、彼らを含めた「天球」すべてを秩序付け、万有全体を構築し支える超越的存在としてゲーテが呼び出される。ここでもまた「原初」を意味する接頭語 ur- が登場する。幾層にも重なる透明な天球に世界が取り囲まれているという地動説の天球図のイメージを踏まえ、ゲーテの詩的世界は、世界を根源的に支える層から世界のはるか上方にある層に至るまで、宇宙全体を織り出していると述べる。ハインリヒ・ハイネ（一七九七—一八五六）やアウグスト・フォン・プラーテン[54]（一七九六—一八三五）を含め、宇宙という絶対的存在と関係づけることで、ゲーテが統べ、万有の普遍性に徴づけられたドイツ文学の正典（カノン）の世界が提示されているのである。

さらに興味深いのは、ローゼンクランツがこのようなドイツ文学の宇宙的世界を「私たちブコヴィナ詩人たちが生まれるまでの前史」としたうえで、マルグル＝シュペルバーの『秘密と諦念』、さらに詩人自身や詩人の言葉のなかに、「万有の全諸力と万有が過ごした数百万年もの歳月すべてが共に働きあっている」と述べ、マルグル＝シュペルバーの文学世界がゲーテの世界に通じることを示していることである。ローゼンクランツは、マルグル＝シュペルバーをはじめとする「私たちブコヴィナ詩人たち」が、ゲーテを中心に形成され、宇宙的な諸力と果てしない時間を過去から未来にかけて背負うドイツ語による文学の正統な系譜に連なる者であることを主張しているのである。

この関連で興味深いことに、ローゼンクランツが一九三〇年代に刊行した詩集の表題にも、ゲーテへの傾倒を見て取ることができる。

第一詩集の表題『詩で綴る人生 Leben in Versen』については、ゲーテの自伝『詩と真実』を踏まえているとの指摘が、ルーマニア独文学会会長でブカレスト大学教授（当時）ジョルジュ・グツによりなされている。グツは、東欧出身の著名なユダヤ系ドイツ語作家二名すなわちブルガリア出身のエリアス・カネッティ（一九〇五―一九九四）とハプスブルク領ガリツィア出身のマネス・シュペルバー（一九〇五―一九八四）、加えてローゼンクランツの計三名を取り上げ、同世代の彼らの自伝が、『詩と真実』の影響を受けていることを論じ、詩集の表題にも触れたのである。[55]

また第二詩集の表題『ステンドグラス（Gemalte Fensterscheiben）』もゲーテの箴言詩を踏まえている。「詩とはステンドグラスのようなもの！（Gedichte sind gemalte Fensterscheiben!）」と始まるこ

の詩では、続けて「市場から教会のなかを覗き込めば、／そこは何もかもが暗くて陰気だ。」とし
つつ、次の詩節で詩の世界の魅力を詠い、読者を詩の世界に誘う。

でもとにかく一度なかへお入り！
聖なる祭壇にご挨拶すれば
とつぜん色様々な光に包まれる。
物語や装飾が見る間に光り輝き、
貴い日の光が素晴らしい働きをみせる。
これぞ、そなたたち神の子らに相応しい、
心を澄まし、目を楽しませよ！(56)

ローゼンクランツは、詩的世界を日常言語の支配する世界と峻別し、絶対的存在と関わる普遍的か
つ精神的世界のなかに自らの生きる場を見出そうとした。そしてまさにこのような詩作のあり方を
選択しそれを保持しようとする、自らを含めたブコヴィナのドイツ語詩人たちこそが、ゲーテを頂
点とするドイツ文学の規範を守る者であり、またドイツ文学の正典の系譜に連なるはずの者である
と確信していたのである。

政治的にも社会的にも、そして文化的にも周縁化されていったユダヤ系詩人たちは、既述の通り、第二次世界大戦開戦、そしてルーマニアとドイツの同盟により、強制移送と殺戮へと追い詰められていった。加えて戦後のルーマニアは、社会主義国家となる。マルグル＝シュペルバーは、この時期以降、生涯にわたって抑圧的な体制下にあり、自由な意見表明が可能な環境に恵まれなかったため、戦時中にどのような心情や信条を抱いていたのかも十分な資料がない。しかし、キットナーやローゼンクランツなど、最終的に西ドイツに移住し、自由な回想や意見の表明が可能になった詩人たちの資料を紐解くと、驚くべきは、死の恐怖におびえる彼らを救ったのが、ドイツ語による文学だったという事実である。一九八一年に西ドイツへ亡命したキットナーの回想録が、没後五年目の一九九六年に刊行されたが、そこでは次のように述べられている。

ナチズムに抗する「ゲーテ」

私は連行されないように、ある方法を考え出した。ドアの呼び鈴が鳴ったら、開けなかった。私は浴室に逃げ込み、戸棚に入り込んだ。こうやって私は連行を免れ、この時間を本当にひどく脅えながら過ごしたが、系統立って物語文学すべてを、特にドイツの短編小説全般を一冊また一冊と読み進めることで、慰めを見出した。〔……〕私はホフマンスタール、リルケ、そしてゲオルゲの全作品を読破し、そして蔵書中にあった彼らについての著作もすべて読破した。それは私にとって非常な慰めとなった。[57]

キットナーを捕えようとしていたのは、ルーマニア国防軍、あるいは、同じドイツ語を話すナチスの武装親衛隊である。前述のように、トランスニストリアの収容所での死亡率は極めて高かった。そのような状況でキットナーは、収容所への連行から逃れるべく身を隠す恐怖を、フーゴー・フォン・ホフマンスタール（一八七四―一九二九）やリルケ、ゲオルゲの作品に没入することで耐えていた。なぜならキットナーにとって「正統な」ドイツ文学は、ナチズムを信奉する輩とは全く相いれない世界を意味していたからなのである。

同様のことは、ローゼンクランツの一九四六年四月十六日付の文章「アルフレート・シュペルバーと彼の文学」においても看取できる。ローゼンクランツは、マルグル＝シュペルバーがブコヴィナで「あたかもベルリンとウィーンの間でのことのように[58]」行っている文化活動について、ウィーンの人気作家兼編集者カール・クラウス（一八七四―一九三六）が同時代の文学者たちに紹介していることに言及し、以下のように続けている。

これはなんとも大したことだ。というのも、かの地域〔ブコヴィナ〕をその当時統べていたのは、ワイマールの麗しき精神であって、ブラウナウの上等兵の姿ではないのだから。[59]

ブラウナウはヒトラーの生家がある場所である。すなわちローゼンクランツは、ブコヴィナで影響力があったのは「ワイマールの麗しい精神」すなわちゲーテとシラーに代表されるドイツ人文主義の精神世界であって、ナチズムのイデオロギーではない、と述べているのである。「ヒトラーに抗するゲーテの精神性」という図式は、キットナーが蒐集していたブコヴィナ詩人たちの詩の原稿としてエイミ・コリンが伝えているローゼンクランツの詩「ただ一人の女(ひと)」にも表れている。

すべての者が彼の手に落ちても、
ひとり汝(なれ)は自由であり続ける、
ことばよ、神聖なる汝は
彼のわめき声に立ち向かい続ける。

ゲーテの鐘の音よ、だが汝が声を

かの者どもは聞いてはいない、
そして耳を蓋がれ、過ちを犯して
最後の審判へと進んでいく。[60]

「ただ一人の女」とは「言語(ことば) Sprache」というドイツ語の単語が女性名詞であることに由来する。ヒトラーの喚き声、すなわちナチズムのイデオロギーが広がり、非人道的な暴力が正当化されていくなか、「言語」、ただしローゼンクランツにとってはそれは詩的言語、だけは自由という普遍的価値を内包し、その価値観に基づいた行為と結びついている。すなわち詩的言語だけは、喚き声の響く社会の趨勢に抗していく。そしてその自由な抵抗の言葉をローゼンクランツは「ゲーテの鐘の音」と呼んだ。そこには、ナチスの非人道的行為や思考とゲーテを生み出した精神世界との連続性を懐疑し慄く眼差しはない。ローゼンクランツのこの見解は、「アウシュビッツは文化の失敗をいかなる反論の余地もないほどに証明し尽くした[61]」という、テオドール・W・アドルノ(一九〇三―一九六九)に代表される戦後ドイツに大きな影響を与えた左派知識人の文化観とは相容れないものであり、その点こそが、ブコヴィナのユダヤ系ドイツ語詩人たちの受容を遅らせた、最大の問題だった。だがナチズムの残虐さを自ら体験しつつも、それは正統なドイツ文学とは別次元のものであるとする考え方は、第二次世界大戦後もなお、彼らの中に根強く残り続けた。キットナーは回想録で次のように述べている。

私は実のところ常に、全ドイツ的なものを視野に収めていた、第三帝国時代にもだ。ブコヴィナの知識人たちは常に、ドイツ性の肯定的部分との精神的交流を保っていた。[62]

トランスニストリアの収容所を転々とした後に生還するという壮絶な経験を経てもなお、「ドイツ性の肯定的部分」へのキットナーの信頼が揺らぐ様子はない。

ディアスポラを支える「カノン」

既述のようにローゼンクランツは、労働収容所から生還した後、今度はソ連により逮捕され、シベリアの各地収容所でおよそ十年を過ごすという壮絶な体験をしている。そしてシベリアからも生還し、ルーマニアを出国した後の一九六三年、バーゼルから同郷の友に宛てた書簡に以下のように記した。

親愛なるルグラム！（Mein lieber Lugram!）

私は変わらず、自分と真実、そして韻文や散文、対話形式での詩に誠を尽くしています。とりわけ世に出ようと泥沼にはまり込んでいる当地ではそれは、野の百合や、身を守るすべもなくさまよう鳥のような暮らしをしろということです。でも、それが何だというのでしょう！詩神たちも女性たちも私に好意を示してくれていますし、それが肝心なのですから。(63)

ルグラムは、マルグルの逆読みである。そしてローゼクランツは年長の友マルグル＝シュペルバーに、「自分と真実と詩 Dichtung」に忠実でい続けていることを報告している。ここには再び、『詩と真実』というゲーテの自伝の表題が共に鳴り響いている。

この書簡で注目すべきは、ローゼンクランツが、自らが正当に評価されていないことに触れている一方、自らの詩作のジャンルとして第一に、韻文での詩の存在に言及していることである。苦難に満ちたローゼンクランツを支えていたのは、伝統的詩形式にもとづく詩作活動だった。

伝統的詩形式を保持しづけていることが西側ドイツ語圏での受容を妨げているとの意識を明確に語ったのはキットナーである。回想録で彼は、七十五歳を過ぎて西ドイツへ亡命した後の状況とそれに対する心情を次のように吐露している。

詩人として、私は別な調号のもとに連なっていたし、押韻やリズムのない文学には、条件付きでしか手を染めることができなかった。私はある種の遺憾の念をもってそのようにした。というのも、韻律を断念することによって詩はその最良のものの一つを、その最も重要な手段の一つを放棄するというのが私の見解だからだ。理由もなしに「抒情詩（Lyrik）」とはいわない。このことばには、すでに「リラ琴（Lyra）」つまり音楽的なものも含まれているのだ。

〔……〕

確かに私は多くの点で、当地の同僚たちの間で耳にするものとは、反対の立場にいる。しかしながら幸いなことに私は、共産主義統治の国家で持ち合わせることのなかった可能性を、つまり自分用に島を造り、自分独自の生活を送り、自分自身の内に引きこもる可能性を持っている。(64)

キットナーは詩について、音楽性、つまりは韻律などの伝統的詩形式を重視する自らのあり方について、「当地の同僚たちの間で耳にするものとは、反対の立場」であることを自覚したうえで、韻律の放棄を拒否している。彼は、この決断がもたらす事態を受け入れ、自らのために「島」を造りだし、この「島」をいわばブコヴィナのドイツ語言語島に見替えて、そこに最終の安住の地を見出した。少なくとも西ドイツにおいては、このような消極的姿勢が社会に対する攻撃として断罪されることはない、と自らを慰めながら。こうして戦後のキットナーは、社会主義国ルーマニアにおいてのみならず、ドイツ語圏の「中央」においても、ドイツ語詩人として自らの価値を納得できる形で認知してもらうことはできず、自らの「周縁性」に苦悩した。キットナーは、その一生を通じて徹頭徹尾、ドイツ語言語島ブコヴィナの詩人であり続けたのだ。

おわりに

東欧革命を経ると、ルーマニアのドイツ語文学について、従来とは比較にならないほど多くの情報が主要ドイツ語圏にもたらされた。その結果、ローゼンクランツやマルグル＝シュペルバー等に対し、文学的革新性に背を向けた取るに足らない詩人たちとのレッテルを貼り、再び、忘却への道を辿らせることへの疑問が提示され、受容は徐々に進んでいる。彼らが伝統的詩形式を重視し、ドイツ文化の「正統な」後継者であろうとしたことも、その背景にある、政治的社会的文化的周縁化を踏まえて理解されるようになってきた。そこには、辺境の地でマイノリティとして生きるなかで、現実世界に抗すべく発せられた彼ら独自の「ことば」の世界が広がっている。ドイツ文学の正統的系譜への参与の希求は、これらの詩人たちの存在を支えた最後の砦であり、何よりも彼らにとってはこのような形での詩作こそ、自らを取り巻く状況に対する文学的抵抗だった。そしていま、その事情を踏まえたうえで、彼らの詩の世界から、多文化多言語の世界を背景にしているからこそ生まれた言語表現を見出そうとする試みが始まっている。例えばマルグル＝シュペルバーは、ブコヴィナ出身のイディッシュ語詩人イツイク・マンゲル（一九〇一―一九六九）の作品をドイツ語に翻訳しており、マンゲルの作品集の冒頭をキットナーによる回顧が飾るなど、[65] ドイツ語文化圏の担い手として強い自己意識を持つ詩人たちも郷里の多言語多文化性に対して開けた態度を持っていたことがうかがえる。辺境の地ブコヴィナには、ドイツ語圏との関係のみならず、周辺の複数の他言語との関係など、まだまだ掬い取るべき世界が広がっている。

［註］

（1） この点については、藤田恭子『「周縁」のドイツ語文学――ルーマニア領ブコヴィナのユダヤ系ドイツ語詩人たち』東北大学出版会、二〇一四年、三三五―三四二頁で詳述した。

（2） 同書、二二一―三二頁を参照。

（3） 本稿の著者は、一九六四年二月二十三日付エルンスト・シュナーベル宛書簡における詩人自身の記述により、「ツェラン」と記載する。「ナレーターに次のことを注意しておいてください。すなわち、私が自分の名前をフランス語風には発音しておらず、tselan つまり語尾を鼻音なしで発音し、また第一音節にアクセントを置いて発音している、ということを。」Zitiert nach Bücher, Rolf: William Shakespeare 21 Sonetten I. In: Gellhaus, Axel u.a.: *»Fremde Nähe« Celan als Übersetzer. Ausstellung und Katalog*, Marbach am Necker: Deutsche Schillergesellschaft 1997, S. 431. 相原勝・北彰（編／訳・注）「ツェラーンの手紙（6）」、日本ツェラーン協会『ツェラーン研究』第七号、二〇〇五年、一三四頁も参照。

（4） 研究史については、相原勝「ツェラーン研究史」、中央大学人文科学研究所編『ツェラーン研究の現在　詩集《息の転回》第一部注釈』中央大学出版部、一九九八年、三五三―三九二頁を参照した。

（5）　Chalfen, Israel: *Paul Celan. Eine Biographie seiner Jugend*, Frankfurt a.M.; Insel 1979. 邦訳が東欧革命後に刊行された。イスラエル・ハルフェン『パウル・ツェラーン　若き日の伝記』相原勝・北彰訳、未來社、一九九六年。訳者による詳細な訳注および年譜が付されている。

（6）　K. k. I. Staatsgymnasium in Czernowitz: *Festschrift zur 100-jährigen Gedenkfeier der Gründung des Gymnasiums. 1809. -16. Dezember- 1908. Geschichte des k.k. I. Gymnasiums in Czernowitz*, veröffentlicht von R. Wurzer, Czernowitz; Universitätsbuchdru. 1909, S. 272-275.

（7）　Gelber, N.M., Geschichte der Juden in der Bukowina. In: Gold, Hugo (hg.): *Geschichte der Juden in der Bukowina. Bd.1*, Tel Aviv; Olamenu 1958, S. 51.

（8）　Polek, Johann: Statistik des Judentums in der Bukowina. In: *Statistische Monatschrift IX. Jg.*, hg. von der k.k. statistischen Central-Commission, Wien; Alfred Hölder 1889, S. 261.

（9）　*Recensământul general al populaţiei României din 29 Decemvrie 1930*, hg. von Dr. Sabin Manuila, Bukarest 1938. Zitiert nach: Bundesministerium für Vertriebene, Flüchtlinge und Kriegsgeschädigte (hg.): *Das Schicksal der Deutschen in Rumänien. Dokumentation der Vertreibung der Deutschen aus Ost-Mitteleuropa III*, München; Deutscher TB 1984 (Nachdruck der Ausgabe 1957), 5E-13E.

（10）　藤田『「周縁」のドイツ語文学』、九一―九八頁、ならびに以下を参照。Reifer, Manfred: Geschichte der Juden in der Bukowina (1919-1944). In: Gold, Hugo (hg.): *Geschichte der Juden in der Bukowina. Bd.2*, Tel Aviv; Olamenu 1958, S. 1-26 sowie Hausleitner, Mariana: *Die Rumänisierung der Bukowina. Die Durchsetzung des nationalstaatlichen Anspruchs Grossrumäniens 1918-1944*, Müünchen; Oldenbourg 2001, S. 144-163.

（11）　十二世紀にトランシルヴァニアに移住したドイツ人は、宗教改革直後にルター派に転じた後、次第に「ザクセン人」を自称するが、ドイツの「ザクセン」という地名と直接の関係はない。それ以前からこの地のハンガリー人たちがドイツ人に対して用いていた呼称「ゾース」（ドイツ語の綴りで Sooß）に由来すると考えられている。この点については、鈴木道男「ズィーベンビュルゲン・ザクセン人の起源とアイデンティティーの変遷について」、平成十三年度東北大学大学院国際文化研究科プロジェクト経費研究成果報告書『東欧多元言語文化社会の形態的研究』、二〇〇二年、二頁を参照。

（12）　*Volksprogramm der Siebenbürger Sachsen, beschlossen vom Sachsentag am 1. Oktober 1933 in Hermannstadt,* Kronstadt; Buchbruckerei Johann Götts Sohn 1933, S. 1.

（13）　藤田恭子「多民族国家の解体と『ドイツ人』意識の変容——両次大戦間期ルーマニアにおけるユダヤ系およびドイツ系ドイツ語話者を事例に」、日本ドイツ学会『ドイツ研究』第四八号、二〇一四年、四三—五五頁で詳述した。

（14）　クリングゾールは、一二〇六年開催とされる「ヴァルトブルクの歌合戦」の伝説において、歌合戦の裁定者としてジーベンビュルゲンから招聘される歌匠の名。グリム兄弟編『ドイツ伝説集』では、歌匠であると同時に魔術師として描かれている。ドイツ初期ロマン派の作家ノヴァーリスの代表作『ハインリヒ・フォン・オフターディンゲン』（邦訳名『青い花』）では、若き詩人を高みに導く魔術的存在として造形されている。

（15）　Vgl. Sienerth, Stefan: Alfred Margul-Sperbers Korrespondenz mit siebenbürgisch-sächsischen Autoren. In: Corbea-Hoisie, Andrei u.a. (hg.): *Stundenwechsel. Neue Perspektiven zu Alfred Margul-Sperber, Rose Ausländer, Paul Celan, Immanuel Weissglas*, Bukarest; Paideia 2002, S. 92.

（16）　Klug, Alfred und Lang, Franz (hg.): *Buchenblätter. Jahrbuch für deutsche Literaturbestrebungen in der Bukowina,*

Czernowitz; Czernowitzer Buchdruckerei, 1932, S. 4-6 sowie S. 58-60.

（17）　Klug, Alfred (hg.): *Bukowiner Deutsches Dichtersbuch*, Stuttgart; Eugen Wahl 1939.

（18）　一九四三年末には、ルーマニア国籍のドイツ系の若者約五万四千人が武装親衛隊に所属していた。Bundesministerium für Vertriebene, Flüchtlinge und Kriegsgeschädigte (hg.), *Das Schicksal der Deutschen in Rumänien*, 57E.

（19）　一九四三年九月一日付トランスニストリア収容先施設別の被収容者数一覧には、一二九の施設が記載されている。Carp, Matatias: *Cartea Neagră. Suferintele Evreilor din Romania 1940-1944. Bd. 3*, Bucureşti; Editura Diogene 1996 (Nachdruck der ersten Ausgabe 1946), S. 455-458.

（20）　Ebd., S. 45.

（21）　Ancel, Jean (ed.): *Documents Concerning the Fate of Romanian Jewry During the Holocaust*, New York; Beate Klarsfeld Foundation 1986, vol. 5, pp. 510-513. Vgl. auch Ioanid, Radu: *The Holocaust in Romania. The Destruction of Jews and Gypsies under the Antonescu Regime, 1940-1944*, Chicago; Ivan R. Dee 2000, p. 174.

（22）　Kittner, Alfred: Spätentdeckung einer Literaturlandschaft. Die deutsche Literatur der Bukowina. In: Solms, Wilhelm (hg.): *Nachruf auf die rumäniendeutsche Literatur*, Marburg; Hitzeroth 1990, S. 191.

（23）　藤田恭子「十九世紀ブコヴィナの非ドイツ系ドイツ語詩人たち」、東北大学大学院国際文化研究科『国際文化研究科論集』第十号、二〇〇二年、四九―六二頁ならびに同『「周縁」のドイツ語文学』、七六―八一頁を参照。

（24）　以下の記述については、モッツァンに多くを負っている。Motzan, Peter: Nachwort. In: Margul-Sperber, Alfred: *Ins Leere gesprochen. Ausgewählte Gedichte 1914-1966*, hg. von Peter Motzan, Aachen; Rimbaud 2002, S. 176-228, insbesondere S. 187-190.

（25）　Ebd., S. 189.

(26) Motzan, Peter: Der Lyriker Alfred Margul-Sperber. Ein Forschungsbericht. Nebst einer kurzen Nachrede. In: Schwob, Anton (hg.): *Die deutsche Literaturgeschichte Ostmittel- und Südosteuropas von der Mitte des 19. Jahrhunderts bis heute. Forschungsschwerpunkte und Defizite*, München; Südostdeutsches Kulturwerk 1992, S. 130.

(27) Margul-Sperber, Alfred: Episode. In: Ders.: *Das verzauberte Wort. Der poetischer Nachlaß 1914-1965*, besorgt von Alfred Kittner, Bukarest; Jugendverlag 1969, S. 94. 成立時期についての記述は、以下の詩集の添え書きによる。Margul-Sperber, Alfred: Episode. In: Ders.:*Verzaubertes Wort. Gedichte*, Berlin; Verlag der Nation 1977^{2}, S. 38.

(28) Margul-Sperber, Alfred: Jüdische Dichtung in der Bukowina. In: Guţu, George u.a. (hg.): *Die Buche. Eine Anthologie deutschsprachiger Judendichtung aus der Bukowina*, zusammengestellt von Alfred Margul-Sperber, aus dem Nachlaß herausgegeben, München; IKGS 2009. S. 359.

(29) Ebd., S. 358-359.

(30) Ebd., S. 359-360.

(31) アウスレンダーは次のように述べている。「マルグル＝シュペルバーはルーマニアやドイツ民主共和国で極めて声望の高い抒情詩人であり翻訳家だった。彼は私の発見者で、一九三九年に『虹』という表題のもとチェルノヴィッツで刊行された私の最初の抒情詩集を編纂してくれた。」Ausländer, Rose: Alles kann Motiv sein. In: Dies.: *Gesamtwerk in Einzelbänden. Bd.15*, hg. von Hermut Braun, Frankfurt a.M.; Fischer TB 1995, S. 92.

(32) Margul-Sperber, Alfred: *Gleichnisse der Landschaft. Gedichte*, Storojineţi; Selbstverlag 1934, S. 5.

(33) Ebd.

(34) Ebd.

(35) Ebd., S. 6.

（36）Ebd., S. 5-6.

（37）Ebd., S. 6.

（38）この点に関して例えば、ライナー・ローゼンベルク『ドイツ文学研究史』林睦實訳、大月書店、一九九一年、とりわけ第二章「ドイツ古典主義とロマン主義　カノンの形成」、同書一〇三―二〇〇頁参照。

（39）Goethe, Johann Wolfgang: Methamorphose der Tiere. In: Ders.: *Werke. Hamburger Ausgabe. Bd.1*, München: C. H. Beck 1981^{2}, S. 201. Vgl. auch Anmerkungen, S. 616-619. 以下、ゲーテのテクストの訳出にあたっては、潮出版社版『ゲーテ全集』全十五巻を参照した。

（40）Ebd., S. 201-202.

（41）Ebd., S. 202.

（42）Margul-Sperber, *Gleichnisse der Landschaft*, S. 6.

（43）Schiller, Friedrich: Über naive und sentimentalische Dichtung. In: Ders.: *Sämtliche Werke. Bd.5*, München: Carl Hanser 1980^{6}, S. 720. 訳出にあたっては、フリードリヒ・シラー「素朴文学と情感文学について」、シラー『美学芸術論集』石原健二訳、冨山房、一九七七年、二六四頁を参照した。

（44）Margul-Sperber, *Gleichnisse der Landschaft*, S. 6.

（45）Goethe, Johann Wolfgang: Maximen und Reflexionen Nr.27. In: Ders.: *Werke. Hamburger Ausgabe. Bd. 12*, München: C. H. Beck 1981^{9}, S. 369.

（46）Margul-Sperber, Alfred: Der erste Schnee. In: *Klingsor. Jg.9. H.12*, 1933, S. 458.

（47）Margul-Sperber, Alfred: Der erste Schnee. In: Ders., *Gleichnisse der Landschaft*, S. 60.

（48）Margul-Sperber, Alfred: Der Tag der Landschaft. In: Ders.: *Geheimnis und Verzicht. Gedichte*, Cernăuţi: Literaria

1939, S. 9.

(49)　「自然を観察するときはいつでも／『一』と『全』とに目を注ぎたまえ、／万(よろず)の物は、内だけにも、外だけにもない。／なぜなら、内にあるものは外にもあるのだ。／だからためらうことなく掴みとりたまえ／聖にして公然たる秘密を。」Goethe, Johann Wolfgang: Epirrhema. In: Ders., *Werke Bd.1*, S. 358.

(50)　Goethe, Johann Wolfgang: Maximen und Reflextionen Nr.718. In: Ders., *Werke. Bd. 12*, S. 467.

(51)　Margul-Sperber, Alfred: Ars Poetica. In: Ders.: Das verzauberte Wort. Der poetische Nachlaß 1914-1965, S. 5.

(52)　現在のところ確認できる初出は一九九五年である。Rosenkranz, Moses: Dokumente. In: *Zeitschrift der Germanisten Rumäniens. Jg.4. H.1-2 (7-8)*, 1995, S. 199-200.

(53)　Rosenkranz, Moses: Autobiographische sowie literaturkritische Dokumente. D. Zum neuen Gedichtband Alfred Margul-Sperbers. In: Ders.: *Briefe an Alfred Margul-Sperber. 1930-1963*, hg. von George Guţu, Aachen; Rimbaud 2015, S. 153-154.

(54)　プラーテンはゲーテと同時代の詩人で、イタリアに居を構え、ソネットやオーデなどルネサンス期や古典古代の韻文形式の巧みな使い手として知られていた。ゲーテの『西東詩集』に触発されて取り組んだ詩形式ガゼーレを用いた作品群をゲーテは称賛している。Vgl. Goethe, Johann Wolfgang: Östliche Rosen von Friedrich Rückert. In: Ders., *Werke. Bd.12*, S. 310.

(55)　Guţu, George: Deutschsprachige autobiografische Aufzeichnungen in Süd-Ost-Europa. Am Rande des späten Erfolgs des Bukowiner Dichters Moses Rosenkranz. 東北ドイツ文学会『東北ドイツ文学研究』、第五十二号、二〇〇九年、一五二頁。

(56)　Goethe, Johann Wolfgang: Sprüche. In: Ders., *Werke. Bd.1*, S. 326.

（57） Kittner, Alfred: *Erinnerungen 1906-1991*, hg. von Edith Silbermann, Aachen; Rimbaud 1996, S. 56.

（58） Rosenkranz, Moses: Autobiographische sowie literaturkritische Dokumente. E. Alfred Sperber und seine Dichtung. In: Ders., *Briefe an Alfred Margul-Sperber. 1930-1963*, S. 160.

（59） Ebd.

（60） キットナー所有のコレクション所収。Zitiert nach: Colin, Amy: „Wo die reinsten Worte reifen" –Zur Sprachproblematik deutsch-jüdischer Holocaust-Lyriker aus der Bukowina. In: Goltschnigg, Dietmar und Schwob, Anton (hg.): *Die Bukowina. Studien zu einer versunkenen Literaturlandschaft*, Tübungen; Francke 1991², S. 231.

（61） Adorno, Theodor W.: *Negative Dialektik*, Frankfurt a.M.: Suhrkamp TB 1975, S. 359. 訳出にあたっては、テオドール・W・アドルノ『否定弁証法』木田元・徳永恂・渡辺祐邦・三島憲一・須田朗・宮武昭訳、作品社、一九九六年、四四七頁を参照した。

（62） Kittner, *Erinnerungen 1906-1991*, S. 115.

（63） Rosenkranz, Moses: Postkarte an Alfred Margul-Sperber am 23. 4. 1963. In: Ders., Briefe an Alfred Margul-Sperber, S. 140.

（64） Kittner, *Erinnerungen 1906-1991*, S. 117-118.

（65） Manger, Itzik: *Ich, der Troubadour. Lieder, Balladen und Prosa*, aus dem Jiddisch von Andrej Jendrusch, Alfred Marugul-Sperber und Herbert Witt, Berlin; Edition Dodo 1999.

【付録】

ルーマニア領ブコヴィナの主なユダヤ系ドイツ語詩人たち（生年順）

アルフレート・マルグル＝シュペルバー（一八九八―一九六七）

ブコヴィナの小さな町ストロジネッツに生まれる。チェルノヴィッツのギムナジウムで学ぶ。

第一次世界大戦中に両親とともにウィーンへ移り、大学入学資格取得後、軍役に就く。

大戦後、チェルノヴィッツ大学で法学を学ぶかたわら、活発な執筆および出版活動を展開。

一九二〇年パリ、その後ニューヨークに移住。パリでイヴァン・ゴル等と親交を結び、ニューヨークでも同時代の文学者との交友を深めつつ、活発な翻訳活動を行う。

一九二四年、健康上の理由でチェルノヴィッツへ帰還。『チェルノヴィッツ朝刊』紙の編集に携わり、西側の新しい文学潮流をブコヴィナに紹介する。ローゼンクランツ、キットナー、アウスレンダー等に出版の機会を与える。

一九三四年、第一詩集『風景という比喩』を私家版として、一九三九年に第二詩集『秘密と諦念』をチェルノヴィッツで刊行する。この間、ナチズムによりドイツ語圏でユダヤ系詩人の発表の場が閉ざされていくのに対抗し、ブコヴィナ出身のユダヤ系詩人のみでアンソロジーを出版しようとするが、挫折する。

一九四〇年、ブカレストへ移り、語学教師として生計を立てつつ詩作を続ける。ルーマニア系も含めて詩人仲間の尽力により収容所への移送を逃れる。

戦後、ルーマニアの首都ブカレストで詩人、文学翻訳者として活躍する。

五〇年代の「社会主義リアリズム」下で自然詩や「階級敵対的諸影響」の否定を強要された後、現状肯定的な社会賛歌やスターリン賛歌等を発表した。同時期に、放浪や死をテーマとする優れた抒情詩を執筆していたが、本人が厳密に秘匿した。

一九六七年、死去。秘匿されていた抒情詩は、チャウシェスク体制当初の社会統制の緩和を背景に、没後に発表され、新たな評価を生む。

ローゼ・アウスレンダー（一九〇一―一九八八）

チェルノヴィッツに生まれる。

一九一九年、チェルノヴィッツ大学で文学および哲学を専攻。

一九二〇年、父の死去。翌年、経済的理由からアメリカに移住。

一九二三年、結婚。一九三〇年、離婚。一九三一年、帰郷。

一九三九年、第一詩集『虹』をチェルノヴィッツで刊行。

一九四一年、ゲットーへ幽閉。

一九四三年三月から一九四四年春、母とゲットーの地下室に隠れ住み、収容所移送を逃れる。

一九四六年、アメリカへ出国。ニューヨークの運送会社勤務のかたわら、英語、後にドイツ語で詩作。

一九六四年、ウィーンへ移住。ウィーンの「反ユダヤ主義的傾向」に幻滅する。

一九六五年、デュッセルドルフへ移る。ウィーンで第二詩集『盲目の夏』刊行。

一九六七年、メールスブルク市のドロステ賞受賞。詩人として認知されはじめる。

一九七二年、事故で要介護状態となる。その間、文学的評価が高まる。

一九七八年以降、老人ホームの自室ベッドで、詩作を続ける。

一九八八年、死去。

モーゼス・ローゼンクランツ（一九〇四―二〇〇三）

農村の貧しい家庭に生まれる。家ではルテニア（ウクライナ）語、イディッシュ語、ポーランド語を話す。ルテニア語小学校で学び、第一次世界大戦開戦によりプラハの寄宿学校へ移る。チェコ語、ルーマニア語を話す。母と姉のすすめで、週に一回ユダヤ人学校へ通い、ラビからドイツ語を学ぶ。

第一次世界大戦後、フランスおよびドイツ国内で工場労働者などの職を転々とする。

一九三〇年に第一詩集『詩で綴る人生』を、一九三六年に第二取集『ステンドグラスの窓』を、一九四〇年に第三詩集『石板』をチェルノヴィッツで刊行。この間、ルーマニア外務省に翻訳者として勤務。ルーマニアの政治家兼作家イオン・ピラト（一八九一―一九四五）の個人秘書となる。

一九四二年から一九四四年、強制労働収容所へ送られる。帰還後、国際赤十字の職員となる。

一九四七年、ソ連の情報機関に捕らえられ、シベリアの収容所で約十年間過ごす。

一九五八年、ブカレストに帰還するが、当局の厳重な監視下におかれる。

一九六一年、ルーマニアを強制出国、ドイツの黒い森地方へ定住。

一九八六年に第四詩集『滅亡のなかで』、一九八八年に第五詩集『続・滅亡の中で』を刊行。

二〇〇三年、死去。

アルフレート・キットナー（一九〇六―一九九一）

チェルノヴィッツに生まれる。ドイツ語小学校およびギムナジウムへ二年通う。

第一次世界大戦中に家族とウィーンへ疎開。文化的刺激を受け、詩作を始める。

商業学校中退後、当時のドイツ領ブレスラウへ移るが、一九三〇年チェルノヴィッツに帰還。『ターク』紙や『チェルノヴィッツ日刊新聞』の文芸欄編集者となる。

一九三八年、第一詩集『雲の騎手』出版。

一九四一年秋、ゲットー収容。

一九四二年夏から一九四三年三月まで、妻とともにトランスニストリアの収容所に抑留。

一九四五年、ブカレストへ移住。「ソ連友好協会」「海外友好協会」の図書館職員となるかたわら、詩作。ドイツ文学の古典的規範に忠実だったため、社会主義リアリズム陣営から激しい批判を受ける。

一九五六年、収容所内で執筆した詩を収めた詩集『飢餓行進と有刺鉄線』刊行。

一九六〇年代、九年間の出版禁止処分。この間にチャウシェスク体制となり、その初期に社会統制が緩和傾向になる。

一九六九年、マルグル゠シュペルバーの遺稿を整理し、詩人本人が秘匿していた自然詩などを発表する。これによりマルグル゠シュペルバーの再評価が始まった。

一九七〇年、詩集『投壜通信』刊行。ルーマニア作家同盟文学賞受賞。

一九八一年、西ドイツへ亡命。

一九九一年、死去。

パウル・ツェラン（一九二〇―一九七〇）
チェルノヴィッツに生まれる。
一九三八年、チェルノヴィッツでギムナジウムを卒業した後、フランス・トゥールの医学準備学校へ入学するが、翌年の夏期休暇で帰郷した際、出国できなくなる。チェルノヴィッツ大学へ転学し、フランス文学を専攻。

一九四一年、強制労働を課せられる。

一九四二年六月、両親がトランスニストリアの収容所へ移送される。八月、両親とは別の労働収容所に移送される。秋から冬にかけ、父、そして母が殺害される。

一九四四年二月、解放。秋、大学の英文科に復学。キットナーやアウスレンダー等と交友。

一九四五年、ブカレストへ。マルグル＝シュペルバーとの交友。

一九四七年十二月、ハンガリー経由でウィーンへ脱出。

一九四八年、第一詩集として予定していた『骨壺からの砂』を五百部出版するが、回収。七月パリ到着。

一九五二年、第一詩集『罌粟(けし)と記憶』を出版。版画家ジゼル・ド・レストランジュと結婚。

一九五五年、フランス国籍取得。

一九五八年、自由ハンザ都市ブレーメン賞受賞。

一九五九年、エコール・ノルマル・シュペリュール（高等師範学校）独語独文学講師就任。

一九六〇年、ゲオルク・ビューヒナー賞受賞。次第に精神を病んでいく。

一九七〇年、セーヌ川に身を投じ、自死。

ロシア極東とベラルーシにおける中華街のイメージの比較と流通

越野剛

はじめに

ヨーロッパ文化における東洋イメージが明らかな他者性を帯びているとするならば、それと比較してロシア文学にとってのオリエントは、アイデンティティの境界をあいまいにする「近しい他者」といえるだろう。第一に、ロシア帝国もそれを引き継いだソ連や現在のロシア連邦も、ヨーロッパとアジアにまたがる領域を有し、その内側に多様なアジア的要素を含んでいる。第二に、ロシア人自体が西欧からある種のオリエンタリズムのまなざしで見られていたし、それをロシアの知識人が常に意識してきたことも否定できない[1]。一方で、サイードのオリエンタリズム批判がもっぱら中近東を念頭に置き、またロシアにとっての近しい東方がコーカサスや中央アジアであったとしたら、中国や日本などの極東（遠い東洋）はロシアにとっても完全に異質な文化として想像されてきた[2]。もちろん海路でしかつながらない西欧諸国と違い、ロシアと中国は一六八九年のネルチンスク条約以来、国境を接してきた。しかしペテルブルグやモスクワから極東までの陸続きの空間は、異文化のイメージを育むに十分なくらいの大きな距離を有する。そうするとロシア内部の東の国境地域も、中国とほぼ変わらぬくらいに遠い世界であったことになる。

遠方にある異国は、その文化についての情報が乏しければ乏しいほど、また理解を困難にする差異が大きければ大きいほど、逆説的なことに自国のイメージを反転して写し出す鏡像の役割を果たすことができる。ロシアの作家が中国を想像する場合、そこにはヨーロッパがロシアを見るまなざしがしばしば反映される。なぜなら異文化を想像するときにまず依拠したであろうものは、彼らがよく通じていただろう西欧の文献におけるオリエントのイメージであり、その中にはロシアも含まれていたからである。ロシアと中国が、どちらも同じような規模のユーラシアの大帝国として相対していたことも、イメージの投影を容易にしたであろう。

しかしこうした議論は、これまで主としてロシア文化の中心部から発信される作家や知識人の言説に依拠して立てられてきたものである。本章ではむしろ文化の中央から離れた周縁で、中国という異文化がどのように想像されているのかを考察したい。論者は以前に現代ロシア文学における中国のイメージを分析したことがあり[3]、それと対比させるかたちでロシア語文化圏が外部と接する国境地域の作家を取り上げる。まず対象となる地域は、中国と国境を接するロシア極東とその中心都市であるウラジオストクである。ここは現在でも国境を越えた往来が盛んなだけでなく、「ミリオンカ」と呼ばれる中華街が形成された歴史があり、その文化的記憶が今日において注目を集めている。本章で取り上げるムトフチイスカヤの小説の他にも、郷土史家トコヴェンコによる歴史小説『ウラジオストクのミリオンカ』(二〇〇八—〇九年)、やはり郷土史家アンチャとミージによる歴史書『ウラジオストクの中国移民』(二〇一五年)が出版されている[4]。地元の芸術家グループによるパブリックアート「ミリオンカの住民」(二〇一〇年)は、壁画によって中華街の記憶を都市の景観の中に呼び戻した[5]。

ロシア語圏の西側の境界領域も、極東と比較するための参照点となりうるだろう。ベラルーシは旧ソ連の構成共和国の中でロシア語文化の影響を最も強く残す地域として知られている。ロシア極東もベラルーシも複数の言語文化が接触してきた歴史的なコンタクトゾーンであり、今日においてもそうした多言語の文化的遺産が地域のアイデンティティを構築するのに寄与している。具体的にはウラジオストクのムトフチイスカヤとベラルーシのマルツィノヴィチという二人の作家が、中華街を重要なトポスとして描いた作品を取り上げる。

ロシアにおける中国イメージの変遷と現状

近現代のロシアの作家が中国について想像をめぐらすとき、そのイメージには西欧のまなざしを通したロシアの自己像が反映されたと考えられるが、ここではその簡単な見取り図を示しておきたい。ルーキンが論じているように、ロシアの進むべき道をめぐって十九世紀の論壇を二分した西欧派とスラブ派は、中国についても正反対の見解を示していた。西欧派は中国を前近代の停滞した社会として批判し、スラブ派はヨーロッパとは異なる中国の独自の伝統文化を評価する傾向があり、それぞれロシアと西欧の関係を肯定あるいは否定する立場と結びついている。[6] 両者を折衷するウラジーミル・オドーエフスキーの小説『四三三八年』（一八三五年）は、ヨーロッパが滅亡してロシアと中国が栄える未来を描いているが、両国の関係は作家が生きていた時代の西欧とロシアの関係を反復している。

二十世紀初頭には黄色人種によってヨーロッパが征服されるという黄禍論が流行するが、ロシアではブロークの詩「スキタイ人」のようにロシアを東洋的な自然の力（スチヒーヤ）と同一化しようとする態度も見られた。一九五〇年代の社会主義の兄弟としての親密な時期を過ぎて中ソ対立の時代になると、ソ連における中国研究は否定的側面を強調する傾向を帯びる。しかしそうしたネガティブな中国のイメージはしばしば敵国を叩くという大義名分の下で、同じような体制であるソ連をも暗に批判する鏡像のような役割を果たした。[7] ペレストロイカからソ連解体後の一九九〇年代に社会経済的な混乱のトラウマを体験したロシア人は、同じ時期に市場経済への移行を成功裏に進めた中国に対して、ありえたはずの自己像をしばしば見出した。プーチン時代のロシアは次第に中国との政治的な蜜月関係を築くが、他方で人口の希薄な極東地域が中国人によって占拠されるのではないという新たな黄禍論もしばしば話題に上がっている。

二〇〇〇年代には、ロシアが中国と同盟を結んだり、あるいは増大する移民によって中国化するというモチーフの小説が多く書かれている。例えばSF作家のホリム・ヴァンザイチクの『ユーラシア・シンフォニー』シリーズ（二〇〇〇—〇五年）では、十三世紀にユーラシア大陸を席捲したモンゴル帝国が現在まで続いたらどうなっていたかというパラレルワールドを舞台にする。[8] 中国、中央アジア、ロシアの諸民族が「中華」の旗印のもとに一体となり、多言語・多文化の共存に寛容なユートピア的な帝国が描き出される。アメリカやヨーロッパが中華に対する「野蛮人」とされ、しばしば敵役を演じるのも特徴的である。パヴェル・クルサノフの『天使のひと噛み』（二〇〇〇年）は、ロシア帝国が革命を回避して現代の強国になるというやはり架空の歴史を背景にしている。中国人とロシア人を両親とする主人公が帝国の新しい皇帝の位につき、中国と同盟を結んでヨーロッパを破壊する残酷な戦争を引き起こす。これらの小説はどちらも中国とロシアが一体化したユーラシア帝国のイメージを作り出した。その帝国による統治の性格は対照的だが、西洋文明が敵として他者化されているのも共通点である。

中国人移民に対する不安感を取り込んだ作品としては、ポストモダン文学の大家ウラジーミル・ソローキンの『親衛隊士の一日』（二〇〇六年）と「新しいリアリズム」の潮流を代表するアンドレイ・ルバノフの『クロロフィリア』（二〇一〇年）が挙げられる。前者は中国の圧倒的な影響力に支えられながら、スラブ派風の復古主義と前近代的な暴力が猛威を振るうディストピアが、万里の長城ならぬ「ロシアの長城」の内部に築かれるという近未来小説である。後者は四千万の人口がモスクワに集中する近未来の世界で、中国人に払ってもらう地代のおかげで、安穏で「植物的」な生活を送るロシア人の社会が描かれている。どちらの作品でもシベリアは中国人の移民が占拠しており、文化的にも経済的にもロシアは中国に依存している。他方でヨーロッパやアメリカはきわめて脆弱な存在と化してしまう。このような現代ロシア文学の作品を参照点として留意しながら、次節では極東とベラルーシの事例を見ていきたい。

『ミリオンカ、シー』と『墨瓦』

ここでは本章で主に取り上げる二つの作品、ムトフチイスカヤの『ミリオンカ、シー』とマルッィノヴィチの『墨瓦』の内容について簡単に紹介する。ウラジオストク在住のイリーナ・ムトフチイスカヤは必ずしもプロの作家とはいえない。作品の大部分は大手の文学サイトproza.ruを主な発表の場としている一方、近年では電子書籍の形態で積極的に売り出してもいるが、ロシア中央のメディアで話題になることはなく、アマチュア作家の域に留まっている。ただし本稿で取り上げる『ミリオンカ、シー』だけは、ウラジオストクの地方出版社「ルベジ」から紙媒体で出版されている。[9] 本業は芸能分野のようで、ダンスや歌謡ショーの興行を手掛けたりしており、旅行記『綏芬河の町、中国のための歌手』(二〇一四年)では、黒竜江省のロシア風レストランで中国人客向けにロシア民謡などを自ら歌った体験を記している。[10]

『ミリオンカ、シー』は日露戦争直後のウラジオストクを舞台にした冒険小説である。ロシア、中国、朝鮮、日本からの移民の子供たちが、日本のスパイの陰謀や海賊の財宝を狙う紅胡子(フンフーズ)(満州馬賊)の襲撃にまきこまれる。安全な避難先を求めてミリオンカの地下に逃げ込むと、その奥には古代渤海帝国の秘密都市が隠されていた。「シー」とは朝鮮人とロシア人のハーフであるアナスタシアの名前を縮めたものであり、彼女が日本人から盗んだ着物にスパイの通信文が隠されていたことが物語の発端となる。小説は『ミリオンカ』のタイトルで二〇〇九年に出版されるが、二〇一六年に同作が再版されたのをきっかけにして、古代、二十世紀初頭、現代、未来のウラジオストクを舞台にした小説が次々に発表され、世界観を共有する『ミリオンカ／海参崴(ハイシエンウエイ)』シリーズとしてまとめられている。それに合わせて最初の小説のタイトルは『ミリオンカ、シー』に改称された。海参崴は中国語で「ナマコの土地」を意味する。ウラジオストクが建設される前から周辺の地域は中国人によってそのように呼ばれていた。ムトフチイスカヤが小説の舞台を多言語・多文化の空間として表現しようとしていることが読み取れるだろう。

ヴィクタル・マルツィノヴィチは一九七七年生まれの比較的若手の作家だが、発表する作品がいずれも話題作となり、ベラルーシ文学の現在を語る上で欠かせない存在となりつつある。最初の長編『パラノイア』（二〇〇九年）は現代ベラルーシをほうふつとさせる独裁国家を描いた小説で、ロシア語で書かれてロシアで出版された。第二作の『寒い楽園』（二〇一一年）は著者自らがベラルーシ語を勉強しながら書いたとされる。間違いだらけのベラルーシ語を使うアメリカ人の語り手が実はベラルーシ人であることがわかるという筋書きで、叙述トリックを生かしたベラルーシ語のメタ言語小説となっている。その後もロシア語とベラルーシ語で交互に小説を書いており、本稿で取り上げる四作目の長編『墨瓦（モーヴァ）』（二〇一四年）はベラルーシ語の作品だが、ほぼ同時にロシア語の翻訳版がインターネットで無料公開されている。[11] 言語や発表メディアを作品ごとに戦略的に選択していることがうかがわれる。マルツィノヴィチはアヴァンギャルド芸術の研究者でもあり、ヴィテプスク時代のシャガールの創作に関する著書も出している。

『墨瓦』が描く近未来のベラルーシは、ロシアと中国の連合国家によって支配され、固有の言語と文化を失っている。モーヴァとは「言葉」を意味するベラルーシ語の単語だが、ここではベラルーシ語で書かれた文学テクストの断片を意味する。それはベラルーシ人だけに麻薬的な快楽をもたらし、ミンスク市内の中華街「シャンハイ」で密かに取引されている。「墨瓦」は中国語の発音に合わせたモーヴァの当て字である。小説は、モーヴァの売人とその常用者という二人のベラルーシ人の語りが交代しながら展開する構成になっている。売人の語り手がふとしたことから非常に貴重なベラルーシ語の書物を手に入れたことが物語の発端となり、中華街のマフィア「三合会」とベラルーシ文化の復興をめざすナショナリストの地下組織がたくらむ反乱のシナリオに語り手たちがまきこまれていく。

中華街のエキゾチズム

ここではまず中華街そのものが小説内でどのように描かれているかを見ていきたい。物語においてカギとなる事件の起きる舞台であり、また多言語空間の構成上の核ともなっている中華街は、色とりどりの異文化の意匠やイメージを動員することにより突出したトポスとなっている。『ミリオンカ、シー』では中華街が中心的な空間になるだけでなく、時間軸もまた中国系住民にとって重要な祭日である旧正月の時期に設定されている。次に挙げるのはミリオンカに住むロシア系の少女レーナが見る元宵節の様子である。

> 夕暮れの日差しが目をくらませた。浮かれ騒ぐ群衆の声が耳を聾する。元宵（ユアンシャオ）の祭りは終わりに近かった。レーナが家路に足を走らせる間にも、むさぼるように出し物を観ていた群衆が何度も道をふさいだ。祭日は最高潮に達しており、中国の新年に見かけるようなものは何でもここにあった。太平鼓（タイピングー）と炎の竜をかたどった提灯を使う踊り、獅子舞、竹馬の演目、「陸の上の船」の踊り。夜になれば人々が魔法のように美しい提灯や色彩豊かな花火に夢中になることをレーナは知っていた。多くの人が前年の春の祭日から取っておいた爆竹のたくわえを取り出して今日の祭日に使ってしまうのだ。群衆の中でささやかれるところによれば、市長が今晩のために色鮮やかな花火を上げることを許可したという。元宵（ユアンシャオ）の祭りの夜は太陰暦によると新年の最初の満月になるはずだった。天空の丸い月を背景にして、花火と点灯した提灯の炎はひときわならない魅惑を放つ[12]。

「ユアンシャオ（元宵）」が旧正月の祭日であることは本文を読めば推察できるようになっているが、「タイピングー（太平鼓）」はロシア語の原文では中国語の発音がキリル文字で示されているだけで、それが何であるかという説明はなされていない。「炎の竜をかたどった提灯」「ライオンの踊り（獅子舞）」「竹馬」といった具体的なイメージを伴う言葉も、中国の文化に通じていないロシアの読者にとっては、きわめて幻想的な祝祭の風景を呼び起こすものとなるだろう。「陸の上の船」は中国語で跑旱船、採蓮船などと呼ばれる張り子の船を使う舞踊だが、その説明はない。漢字や暦などの伝統をある程度まで共有する日本の読者とはテクストまでの距離が違うのである。

ユアンシャオは旧正月に食する白玉団子を意味することもある。『ミリオンカ、シー』の別の場面では、日本人の少年トカガワが叔父を中華街に案内して、購入したユアンシャオの中から「死者は自分の物を探し、生者がそれを奪った」で始まる謎めいた文句が書かれた紙片を見出す。中国系の少女シャイリンも祭日用の提灯に付されていた謎々を解いて景品を受け取るが、そこにも「汝の家。汝はそこに至る。そを去るとき力を得るだろう」という奇妙な言葉が記されていた。これらは地下の秘密都市の建物やそこに隠されていた渤海語の書物のことを暗示している。予言のモチーフには読者に対して物語の展開をあらかじめ想像させる機能があるが、ここではそれだけでなく中華街のエキゾチックな神秘性を際立たせる道具立ての役割を果たしているといえよう。

『墨瓦』の舞台となるミンスクの中華街「シャンハイ」の描写を見よう。語り手のひとりであるモーヴァの売人が中国マフィア「三合会」に呼び出されて、中華街に足を踏み入れる場面である。

そこは食品街になっていた。新鮮な鯉の陳列台が並び、巨大な氷塊の間でナマズが憩い、小さな蛇に似たウナギがとぐろを巻いていた。隣に場所を占めている移動式の炊事場からは、車輪のついた大きな配膳台、ガスバーナー、大量の油と煤、「お試しあれ、嫌な思いはさせませんよ」という料理人の生き生きとした眼差しが見える。この場で魚を焼き、豚肉を燻し、じゃがいもを炒めるのだ。「モモ」を売る屋台から旨そうな匂いが漂い、豆の麺がじゅうじゅう焼ける音がする。その隣のビニールのひさしの下は白いプラスチック製の腰かけが劇場の観覧席のように連なり、料理を注文した人々がむさぼるように食べている。[13]

『ミリオンカ、シー』の元宵節の場面と比べると、読者の理解が及ばないであろう難解な語句やイメージは避けられている。「豆の麺」は日本人なら春雨のことだと見当がつくが、ロシア人読者にはやや分かりにくいかもしれない。「モモ」という語にはわざわざ「チベット料理の一品。蒸して調理するペリメニ」という注釈が付されており、ロシア風餃子のペリメニに近づけて説明するという読者への配慮がなされている。とはいえ異文化のエキゾチズムはいささかも減じておらず、ステレオタイプでわかりやすい中華街の風景が描かれているといえよう。

語り手の売人はマフィアの根城に招かれ、幹部の中国人チュー・リンと差しで食事をするが、豚の耳や果物などの冷菜が女性の裸体の上に盛りつけられているのに気づいて驚く。女体盛りは日本の文化とされることが多いが、マルツィノヴィチは中華街のアジア的なエキゾチズムを際立てるためにイメージを借用している。興味深いことに、エロスと美食が一体となった奇妙な食卓で箸を進めるうちに、語り手は「こういうプロセスは初めに感じられたほどには愚かで下品ではなかった」という感想を吐露している。宴席の終わりになり、マフィアの幹部は失態を犯したという部下を呼び出し、彼の鼻孔に箸を突き立てる。チュー・リンの説明によれば、その箸は一突きするだけで「バターのように簡単に脳内に達し」、視神経を絶たれて盲目になった男は数歩だけ進んで絶命するだろうという。中華風に手の込んだ残酷な処刑の手法を聞かされて、語り手の売人はマフィアの要求に従わざるを得なくなる。エロスにせよ暴力にせよ単純にアジア的な野蛮さを示すのではなく、全く異質な方法で文化的に構築された実践であることが認められるのだ。

とはいえこのようなエキゾチックな暴力やエロスそのものは、きわめてステレオタイプな中華イメージでもあり、ロシア独自のものというよりは、『イヤー・オブ・ドラゴン』(一九八五年)や『ゴースト・ハンターズ』(一九八六年)などのアメリカの中華街を舞台にしたハリウッド映画や九龍城を描いた香港映画などを通じて受容されたものと考えられる。いわば欧米の中華オリエンタリズムの重訳といえるが、一九九〇年代に急速に西側の大衆文化に慣れ親しんだ旧ソ連圏の読者にとっては分かりやすいイメージでもあっただろう。

漢字もまた作品を彩るエキゾチズムの小道具として用いられる。ムトフチイスカヤが中国語をそのままテクストに引用したことは上に示した通りだが、マルツィノヴィチの小説はタイトルそのものが漢字の「墨瓦」とベラルーシ語の「モーヴァ」の二重構造になっている。墨(モー)と瓦(ヴア―）という字の組み合わせには何の意味もないが、その中国語の発音はベラルーシ語で「ことば」を表す「モーヴァ」に一致する。二〇一四年に出た単行本の表紙にはベラルーシ語だけでなく、漢字の表記も目立つ位置に示されている。ミリオンカを舞台にしたムトフチイスカヤの連作は「海参崴（ハイシエンウエイ）」シリーズと呼ばれるが、これもしばしば漢字表記がデザインの一部として表紙に用いられている。ロシア語やベラルーシ語の読者にとって語の指し示す意味は分からなくても、漢字という東洋的な意匠そのものがエキゾチックな審美的価値を持つともいえよう。

「都市の中の都市」の多層構造、都市の地下空間

『ミリオンカ、シー』のウラジオストクも『モーヴァ』のミンスクも、都市の中に都市が組み込まれる入れ子構造になっている。どちらも中華街がその重要な枠組みのひとつを構成しており、さらにどちらの中華街もその内部に迷路のような地下空間を有している点が共通している。いわばマトリョーシカ都市ともいえるような多層構造の中心には、多言語社会にある種の統合をあたえる超越性のシンボルが隠されていると考えられる。その点をくわしく見てみよう。

　ウラジオストクは一八六〇年の北京条約によって清からロシアに割譲された沿海地方に新しく設けられた都市である。[14] アムール川以南、ウスリー川以東の沿海地方は、それまでは一六八九年のネルチンスク条約によって清の領土とされていた。急速に進められた都市の建設作業には多くの中国

人労働者が参加し、都市の中心の一角には中華街が形成された。その多くは山東省からの移民・季節労働者だったとされる。不法な移民も多かったので正確な統計ではないが、一九一〇年の都市統計では人口約九万人のうちの三万五千人がアジア系であり、その多くは中国人だったと考えられる。とはいえ朝鮮人・日本人も相当数が居住しており、ウラジオストクは当時の極東有数の多言語都市だった。市当局はアジア系の移民を都市の周縁部に土地を割当てて移住させようとしたが、「ミリオンカ」は市中心部の西側に一八八〇年代末から九〇年代にかけて自然発生的に形成された。[15]

国境地域の海港として軍事的な拠点でもあったウラジオストクには、十九世紀末から二十世紀初頭にかけて、都市を囲むように要塞が建てられた。ソ連時代にも軍事用のトンネルや防空壕が掘られている。ウラジオストクが閉鎖都市となり、一部の地下施設の存在が機密とされたこともあり、隠された空間に関する噂や都市伝説が広まった。郷土史愛好家の市民団体「ディガー・クラブ」は、地下の史跡の保存やツーリズムに積極的に携わっている。[16]こうした地下要塞やトンネルは中華街と歴史的には何の関係もないはずだが、ムトフチイスカヤはミリオンカの中に地下空間への入口を設定することで両者を結びつけた。小説内の地下の迷宮は地上の中華街と同じく複雑に入り組んでおり、ウラジオストクの市内各地に通じている。物語の冒頭で高価な着物を盗んだ朝鮮系の少女シーは、追っ手から逃れるため、地下への入口を探す。「都市の中のこの一帯は地底にありとあらゆる迷路が掘りめぐらされているそうよ。そこにいれば、どんな追跡からも安全に身を隠せるし、秘密の道を通って都市の外まで出られる。中国まで続いているとまでいうわ[17]……」。実際には水平方向に国境を越えるような通路は描かれないが、その代わりに迷路の底の深みは古代の都市が隠されている空間につながっている。

中国東北地方から朝鮮北部・ロシア極東にかけて、八世紀から十世紀にわたって渤海という大帝国が栄えた。ウラジオストク周辺には率賓府という行政区画が置かれ、現在のウスリースク市に拠点のひとつがあったと考えられている。日本人少年トカガワはロシア人の仲間たちとミリオンカの地下を探検するうちに、暗闇で足を踏み外して穴に落ちる。そこには骸骨の手に握られた不思議な本があり、トカガワは導かれるようにその一ページを手に入れる。少年の伯父で考古学者のケンリュウは、その紙片に自分の研究対象でもある渤海の文字が書かれているのを見て驚く[18]。再び地底を訪れたトカガワとその仲間たちは、迷宮のさらに奥の層に隠された渤海の秘密都市「震(ジエン)」を発見する[19]。主としてツングース系の靺鞨人によって築かれた渤海国はモンゴル系の契丹によって滅ぼされるが、数世紀後にその近縁である女真族の金王朝が栄えた。金はチンギスハンの帝国によって再度滅亡するが、清帝国として再興するのは周知の通りである。ケンリュウの論じるところによると渤海人は何度滅ぼされても復活する類まれなる生命力を有しており、その秘密は地下都市と結びついている。ミリオンカの地底の最深部を訪れたトカガワやその仲間たちはテレパシーなどの超能力を授けられ、またそれぞれが古代渤海の歴史的人物の生まれ変わりであることを「思い出す」ことになる。ムトフチイスカヤの小説では、ウラジオストクという同じ土地を支配してきた渤海、中国、ロシアという歴史的な国家の変遷が、ロシア人の建設した軍事都市、その内部にある中華街ミリオンカ、その地下にある都市「震（ジエン）」のように空間の重層構造として表現されている。

マルツィノヴィチの『墨瓦』の舞台となるベラルーシの首都ミンスクは、ロシア極東の都市ほど中国人との深い歴史的関係があるわけではない[20]。しかし二十一世紀に入ってからの旧ソ連諸国への中国の積極的な経済的・文化的な外交戦略を背景にして、現代のベラルーシにおける中国は存在感を増しつつある。ミンスクを含めてロシアや東欧の都市郊外の市場では中国人商人が活発に活動しており、新しいタイプの中華街を形成している[21]。とりわけ近年ではミンスク郊外に中国資本によって建設されつつある展示センター「グレート・ストーン」が注目を集めており、マルツィノヴィチが『墨瓦』を構想・執筆していた時期とも重なっている。

徐々に中国化されるロシアという『墨瓦』で描かれる言語状況には、ロシア語の圧倒的影響下にある現代ベラルーシの言語事情がアイロニカルに反映されている。近代においては基本的に農民の言葉であったベラルーシ語は、文章語の伝統がきわめて弱かった。エリート層はポーランド語かロシア語を話し、ミンスクなどの都市部はユダヤ人の話すイディッシュ語が優勢だった。十九世紀末から二十世紀初頭にかけて登場したベラルーシ語知識人の多くはむしろ、現在はリトアニアの首都であるヴィリニュスを拠点としていた。一九二〇年代ソ連の積極的な民族文化政策によって、ようやくミンスクを中心にしてベラルーシ語の文化が公的に振興されるが、それも束の間で一九三〇年代には民族派知識人は過酷な弾圧を受けることになる。その後のベラルーシ社会は徐々にロシア化が進み、一九九一年のソ連解体前後に一時的なベラルーシ語のブームがあったもの、独立後の現在ではロシアを除く旧ソ連地域のうちで最もロシア語が浸透した国家となっている。

『墨瓦』で描写されるミンスクの架空の中華街「シャンハイ」は、市内中心部にあるニャミーハ（ロシア語ではニェミーガ）周辺の地区に設置されている。中国人は「現存している建物は歴史文化遺産として認められているので、それらを少しでも壊してはいけない」という条件で居住を許される。ところが既存のミンスクの街並みは保存されたが、代わりにその上に積み重ねるかたちで中華街は建設されることになった。まさに屋上屋を架すことを繰り返すうちに、九龍城をさらに展開したような奇観が生み出される。「ニャミーハにできた田舎風古典主義様式のコンクリートの新造物の上に、やつらは木材や紙やスレートでできた小屋をさらに百階まで積み上げたんだ。やつらは板で組んだ人工の道を架設し、大通りのようなものまで建造したけれど、その上では二台のバイクが互いにミラーをぶつけないようにすれ違うのがやっとだった[22]」。

ニャミーハは中世の英雄叙事詩『イーゴリ軍記』や『原初年代記』でも言及される由緒ある地名である。独ソ戦争で焼け跡となったミンスクでも、ニャミーハ周辺の「山の手」（ヴェールフニ・ホーラド）と呼ばれる地区には歴史的建築物がいくらか残っていた。ところが戦後の都市計画はミンスクの歴史的な景観を再現するよりも、社会主義的な意匠を用いて都市を作り変えることを目指した。新しくニャミーハの大通りに建てられた社会主義リアリズムの仰々しい建物は、あたかも「山の手」地区をおおう壁のようにも見える。『墨瓦』ではその上にさらに中華街が形成されることで、都市の歴史的な変遷が地層のように空間化されている。最低層の古い町並みはほぼ地下都市のようになっており、ベラルーシ文化の復活を目論む反体制グループの隠れ家となっているという設定が興味深い。ベラルーシ語がロシア語に吸収されてしまい、そのロシア語が今度は中国語の影響を受けつつあるという作品内における多言語の力関係が、都市の重層構造に対応して配置されていると考えることもできる。

ムトフチイスカヤの描写するウラジオストクの中華街は外部との境界が曖昧である。ミリオンカへの出入口が具体的に描写される場面はない。例えば第五章では日本人の少年トカガワが叔父をミリオンカまで案内するが、二人はいつの間にか旧正月の祝祭の賑わいの中に入り込んでいる。この場面は途切れのない会話文で表現されており、どこで境界線を踏み越えたのかは示されていない。『ミリオンカ、シー』の主人公の多くはアジア系であるが、それだけでなく朝鮮系のシーも中国系のシャイ・リンもロシア人との間のハーフとして設定されている。日本人家族の息子トカガワも自分が生まれたウラジオストクを故郷とみなしている。一方でパーヴェルやレーナのように中華街であるはずのミリオンカの内部に住んでいるロシア人も登場する。このように登場人物の描かれ方にしても、ロシアとアジアの境界線は互いに入り組んだものになっている。

マルツィノヴィチの『墨瓦』には、中国マフィアに案内されて語り手の売人が中華街を訪れる場面があり、『ミリオンカ、シー』よりも明確に境界線が示されている。しかしその内部では中国人とベラルーシ人のアイデンティティが奇妙なかたちで融合している。中華街を支配する中国人マフィアの幹部は流麗なベラルーシ語を話し、しかもマフィアのボスは金髪碧眼のスラブ人女性であることが判明する。中華街の外部はロシア語が支配的であり、ベラルーシ語文化はすでに消滅している。ところがその内側はむしろ多言語の位置関係が反転しており、中国語が支配的でありながらその中心にはベラルーシ語が保存されているのだ。

都市住民の帰属意識と真正性

ムトフチイスカヤの『ミリオンカ、シー』もマルツィノヴィチの『墨瓦』も、都市の中に中華街という文化的に異質な空間が置かれ、さらにその地下にはすでに滅んだはずの過去の言語文化に属する都市が隠されている。ウラジオストクもミンスクも作品が書かれた現在においては基本的にロシア語が優勢な地域であるが、そのように見えるのは表層だけである。多言語が織りなす複雑な都市の歴史は、パリンプセストのように層状に構成されている。ムトフチイスカヤとマルツィノヴィチが描く架空の都市空間は、そのような隠された多重構造をあからさまに視覚化してみせた。とりわけロシア語文化圏の文脈の中では明確な他者として映る中国文化の層は、多言語性を示すマーカーとして機能している。

その一方で中華街は都市の最深層につながる門のような役割も果たしている。『ミリオンカ、シー』の場合はウラジオストクの地下には渤海国の秘密都市が眠っており、『墨瓦』の中華街の真下には、ロシアに飲み込まれて消滅したベラルーシの文化が保存されている。どちらもその土地に積み重ねられた歴史の最古層に位置づけられており、それゆえにいわば場所の文化的な真正性（オーセンティシティ）を示すものとなっている。多言語で構成される複数の異文化の断片を繋ぎ合わせたかのように見えるミンスクとウラジオストクの歴史は、古層の真正性によってひとつながりの物語を与えられる。ばらばらな出自の人々に共通の帰属意識を保証する土地の神話ということもできるだろう。

都市の最下層に眠る真正性とはいわば創作された神話であるが、それを担保するために作中に登場する神聖な「テクスト」には、超越的な作用という仕掛けがほどこされている。ムトフチイスカヤの小説では、渤海の遺跡に隠された古文書に触れた者は遠く離れた仲間の声が聞こえる超能力を得て、さらには転生前の渤海人としての記憶を与えられる。マルツィノヴィチの小説では、ベラルーシ語で書かれた文学作品の断片が麻薬のような快楽をもたらす。

ムトフチイスカヤもマルツィノヴィチも都市の風景に中華街を加えることによって、多言語・多文化の空間を作り出した。しかし分解した空間を再統合する仕掛けとして真正性が導入されるとき、それは人種的な本質主義を呼び覚ます危険性を帯びるだろう。『ミリオンカ、シー』の主人公である子供たちのグループは多様な民族によって構成されているにも関わらず、地下都市の秘密に触れることのできる条件として、どこかで古代渤海人の血筋を受け継いでいなくてはならない。中国系のシャイ・リン、朝鮮系のシー、日本人のトカガワについてはそれほど不自然ではないが、ロシア人のパーヴェルやレーナでさえ先祖の何某かが満州の少数民族の出自であることが明らかにされる。

ロシア極東の歴史を古代の渤海国と結びつける歴史観は、ムトフチイスカヤの独自のアイデアではない。ウラジオストクで一九九八年に刊行された歴史教科書では、ロシア人による沿海州の「発見」に先立つセクションで、渤海の歴史が大きく取り扱われている[23]。靺鞨、渤海、金など女真・満州系民族に焦点があてられている一方で、モンゴル系の契丹や元王朝などは「侵略者」として記述されているのが特徴的である。極東地域が漢民族あるいは現在の中国とは歴史的につながりがないことを暗に示すことによって、ロシアによる領有を正当化する狙いがあるのだろう。ムトフチイスカヤの場合はそれに加えて、モスクワやペテルブルグを中心とするロシア帝国の歴史とは異なる固有の地域性を強調するため、すでに滅亡した渤海の歴史に依拠したように思われる。

『墨瓦』では、ベラルーシ語のテクストが強烈な快楽を与えることができるのはベラルーシ人に対してだけであるとされているが、このカテゴリーが誰に対してどこまで当てはまるのかはそれほど明確ではない。そもそも小説の登場人物たちの多くは（現実のベラルーシ人がそうであるように）もっぱらロシア語を用いており、ベラルーシ人であるという意識はすでに希薄になっている。

ベラルーシ語で書かれたものだけがベラルーシ文学であるのかという問題もあるだろう。ベラルーシが形式的なものとはいえ国民国家の体裁を初めて整えたのはソヴィエト連邦内の共和国としてであり[24]、しかも成立当初に公用語とされたのはベラルーシ語、ロシア語、ポーランド語、イディッシュ語の四言語だった。古ベラルーシ語あるいはルテニア語などと呼ばれる中近世の文語はポーランド・リトアニアの支配下でポーランド語に置き換えられてしまい、近代のベラルーシ語への自然な連続性を絶たれてしまっている。十八世紀末のポーランド分割でロシア帝国に編入されてから今日にいたるまで、ロシア語の影響力は大きく、一九九一年の独立後もベラルーシ語は国民の主要な使用言語にはなりえていない。従って、この地域出身でありながら、ベラルーシ語以外の言語で書く作家は少なくない。ノーベル賞を受賞したスヴェトラーナ・アレクシエーヴィチもロシア語作家である。インタビューで聞き取った談話を材料にするのが彼女の手法であるが、その対象であるベラルーシ人たちがベラルーシ語をほとんど話さないため、必然的にロシア語で書かれることになる彼女の作品はベラルーシの言語状況を正しく反映している。過去にさかのぼるなら、ポーランド語で『ベラルーシ幻想譚』を書いたヤン・バルチュシェフスキ、イディッシュ語とロシア語で創作したヒルシュ（グリゴリイ）・レレスといった作家もベラルーシの文学史の枠組みで語られることが多い[25]。このようなベラルーシ文学自体の多言語性を考慮に入れるならば、ベラルーシ人だけに選択的に影響を与えるベラルーシ語のテクストという設定は不自然であり、ひとつの国民の文学はひとつの言語によって書かれるというような抽象的・概念的な国民文学論に依拠していることは明らかである。『墨瓦』における明確な条件なしに定められるベラルーシ人というアイデンティティも、『ミリオンカ、シー』の由緒ある極東人の血統という設定も、当然ながらそこに当てはまらない住民を排除することになる。多言語・多文を志向していた文学の空間にも、疑似国民的なヒエラルキーが導入されるという皮肉な側面があることは留意しておきたい。

おわりに

中華街や中国的要素はそれを含む空間の多言語・多文化性を示すマーカーであると同時に、わかりやすく色分けされるエキゾチズムの境界線によって空間を内と外に分断する働きもある。例えばソローキンの『親衛隊士の一日』では中国風の「ロシアの長城」によってロシア的空間がその外部から隔てられており、ルバーノフの『フロロフィリア』ではモスクワの超高層建築の百階から上が中国人専用の居住区になっており、一般のロシア人は立ち入ることができない。中国化したロシアを描くはずのソローキンやルバーノフの小説の中で、他者である中国人のキャラクターが本筋にほとんど絡まないのも特徴的である。

それに対して極東の作家ムトフチイスカヤはロシアと中国（アジア）が境界線を越えて入り混じる世界を描いた。主人公たちの多くがアジア系であるだけでなく、双方の血を引いている。また重要なことにロシア本土でもなく、アジアでもなく、自分たちが生まれ育ったウラジオストクに強い帰属意識を持っている。この点でムトフチイスカヤの『ミリオンカ／海参崴』シリーズは、ロシア・中国・中央アジアの文化要素が混在するヴァンザイチクの『ユーラシア・シンフォニー』シリーズの世界に似ている。中国との国境地域に住んで、日常的に中国人との交流のあるムトフチイスカヤと、中国研究者でもあるヴァンザイチクの作品が[26]、ある種の欧米のステレオタイプな中華街イメージから外れた風景を描き出していることは興味深い。極東とは正反対の西側の境界地域であるベラルーシの作家マルツィノヴィチの描く中華街は、むしろハリウッド映画のエキゾチズムに近い。しかしその内側の世界では中国人がベラルーシ語を話す奇妙な逆転世界が描かれていた。

ソローキンやヴァンザイチクなどの現代ロシア文学の作品に見られる「中国化するロシア」のイメージについては、ヨーロッパを離れてアジア（ユーラシア）に自己同一化するロシアを肯定的に評価することもできるし、あるいはロシアがロールモデルとする対象が西から東に入れ替わっただけとして否定的に受け止めることもできるだろう。いずれにせよそれは中国とロシアの二者だけではなく、ヨーロッパ・ロシア・アジアという三つの要因が交差する一種の関数として読み解かれるべきものだ。

しかし極東やベラルーシというロシア語文化圏の境界に位置する場では、必ずしもヨーロッパという要素は強く意識されていないように思われる。西欧・ロシア・中国という関係性に代わって前景化しているのは、ロシア語文化圏というひとつながりの空間内部の中心と周縁の対立、そしてその外部としての中国である。『ミリオンカ、シー』ではミリオンカという中華街が、中国化するロシアを示すトポスとなる。そこはロシア人とアジア人が明確な境界線もなく入り混じる多言語空間であり、ロシアの一部でありながらロシアからはみ出している。極東という場の固有性を中心との差異として示すために、境界の向こう側にある中国のイメージが呼び出されるのではないだろうか。言い換えるならば、多言語・多文化的であることによってこそ、ローカルな辺境のアイデンティティが構築されるのだ。

『墨瓦』では中国化するロシアという物語の背景となる世界の設定は、ソローキンやルバーノフの作品とよく似ている。麻薬として扱われる文学テクストというアイディアなどはソローキンの直接の影響と考えられなくもない。しかし中国文化に飲み込まれつつあるロシアという状況は、物語の舞台となるミンスクでは、ロシアに吸収されてしまうベラルーシ語文化とパラレルな現象のように映る。ミンスクの内部にある架空の中華街では、中国人マフィアがベラルーシ語を話し、麻薬的効果を持つベラルーシ語文学のテクストを売りさばいている。そこではベラルーシ化する中国という逆転現象が起きているのだ。極東地域とは異なり、ベラルーシにとって中国は依然として遠い他者であり、ミリオンカのような歴史的な中華人移民の記憶を持つわけでもない。一方でベラルーシとロシアは言語的には同じ東スラブ語族に属し、地理的にも歴史的にも近しい関係にある。近すぎるがゆえに容易に交じり合い、自他の区別がつきにくくなったともいえる。マルツィノヴィチが試みたのは、あまりにも近すぎる他者であるロシアの言語文化を引き離すために、あえて遠い他者である中国のイメージを導入することであった。

中国人マフィアのチュー・リンは語り手との対話の中で、ベラルーシ人を水に喩えて言う。「水を滅ぼすことはできない。弾丸を撃ち込もうが、刃で斬ろうが、水は水のままだ。ソ連時代にそうしたように、君たちを蒸発させたとしても、雨が降ってもとの水に返ってしまう。ドイツ人も、ロシア人も、ソヴィエトも、中国人も、みな君たちと戦おうとした。最良の人々を消し去った。それで勝ったと思い込んだものだ！　けれど水には英雄は必要ない。水の抵抗というのは水そのものの性質なんだ[27]」。複数の言語文化圏に挟まれた境界領域において書かれる文学作品が何らかのローカルなアイデンティティを提示するとしたら、ここで言われる水のように流れながら形成されるものだといえるのではないだろうか。

[註]

（1）デイヴィド・シンメルペンニンク＝ファン＝デル＝オイェ『ロシアのオリエンタリズム――ロシアのアジア・イメージ、ピョートル大帝から亡命者まで』成文社、二〇一三年。訳者の浜由樹子による解説も参照。

（2）Susanne S. Lim, *China and Japan in the Russian Imagination, 1685-1922: To the Ends of the Orient* , Routledge, 2013.

（3）越野剛「幻想と鏡像――現代ロシア文学における中国のイメージ」、望月哲男編著『ユーラシア地域大国の文化表象』ミネルヴァ書房、二〇一四年、一五四―一七三頁。

（4）Токовенко А. М. *Владивостокская Миллионка. Владивосток: Воделей*, Кн.1-2. 2008-2009; Анча Д. А. Мизь Н. Г. *Китайская диаспора во Владивостоке. Страницы истории*. Владивосток: Дальнаука, 2015.

（5）Гороховская Л. Г. *Прогулки по городу: «паблик-арт» в городском пространстве Владивостока*. // Вестник ДВО РАН. 2014. № 6. С. 64-70.

（6）Alexander Lukin, The *Bear Watches the Dragon: Russia's Perceptions of China and the Evolution of Russian-Chinese Relations Since the Eighteenth Century*, Routledge, 2002.

（7）Gilvert Rozman, *A Mirror for Socialism: Soviet Criticisms of China*, Princeton UP, 1985.

（8）歴史の流れの中に分岐点を想定して、例えば織田信長が本能寺で殺されなかったならば、あるいは第二次世界大戦でナチスドイツが勝利していたら、その後の歴史がどうなっていたかを空想する文学作品を「歴史改変小説alternative history」と呼び、SFのサブジャンルのひとつとされる。歴史改変小説はソ連解体から二〇〇〇年代にかけてのロシアで大流行した。越野剛「現代ロシアの歴史改変小説における帝国イメージについて」、松里公孝編『講座スラブ・ユーラシア学』第三巻、講談社、二〇〇八年、一七七―二〇六頁。

（9）Мутовчийская И. *Миллионка*. Владивосток: Рубеж, 2009. ただしこの版は誤字誤植が多く、proza.ru の著者

のページのコメント欄でムトフチイスカヤと読者の間で怒りの声が交わされている。ここでは主として以下の電子書籍を用いる。Мутовчийская И. *Миллионка. Си. Четвертая книга из серии «Хайшаньвей»*. Издательские решения, 2019.

(10) Мутовчийская И. *Город Суйфеньхэ. Певица для Китая: Владивосток – Суйфеньхэ – Владивосток*. Издательские решения, 2019.

(11) 本章では以下のベラルーシ語版を用いる。Марціновіч В. *Мова*. Мінск: Кнігазбор, 2014.

(12) *Ibid*. p.67.

(13) *Ibid*. p.95.

(14) 一八五八年のアイグン条約でまず両国共有の地とされ、北京条約の締結に数カ月先立つ一八六〇年六月二十日にロシア人が上陸して軍港の建設が始まった。「東方を統治せよ」という意味を持つウラジオストク（ヴラジヴォストーク）の名称は、一八五九年に東シベリア総督ニコライ・ムラヴィヨフによって決められた。原暉之『ウラジオストク物語』三省堂、一九九八年。ウラジオストク建設の経緯は第四話「露国東鎮」（五三―六五頁）に詳しい。

(15) 原暉之『ウラジオストク物語』二八三―二八五頁。

(16) ディガー・クラブのホームページを参照。http://www.vladdig.org/（二〇一九年十月一日閲覧）

(17) *Ibid*. p.8.

(18) 渤海に独自の文字はなかったと通常は考えられているが、文字の存在を主張しているロシア人の研究もあるため、そこからムトフチイスカヤが影響を受けた可能性もある。川崎保『「渤海」文字資料からみた女真文字の起源に関する一考察』『古代学研究』二〇二号、二〇一四年、三四―四〇頁。

（19）「震」は歴史的には渤海の当初の国名を指す。もちろん地下にある秘密都市はフィクションの産物である。そもそも渤海時代の遺構が見つかっているのはウラジオストクではなく、北に百キロはなれたウスリースクである。

（20）ただし、二十世紀初頭には極東だけでなく、モスクワ、ペテルブルグにも相当数の中国人移民が居住していたことが知られている。

（21）山下清海『新・中華街——世界各地で「華人社会」は変貌する』講談社メチエ、二〇一六年。とりわけ第二章四節「南欧・東欧の「新中華街」」を参照。

（22）*Ibid.* p.91-92.

（23）ロシア科学アカデミー極東支部歴史・考古・民族学研究所編『ロシア沿海地方の歴史——ロシア沿海地方高校歴史教科書』明石書店、二〇〇三年、三五—四一頁。ウラジオストクのアルセニエフ記念歴史郷土博物館でもそのような展示がなされている。

（24）ロシア帝国が革命によって倒れた後、一九一八年に短期間だけ存続したベラルーシ人民共和国を最初の国民国家とみなす立場もある。

（25）Go Koshino, "Sharing Writers for a Small Nation: Belarusian-Jewish-Russian Writer Grigory Reles," in Kenichi Abe, ed., *Perspectives on Contemporary East European Literature: Beyond National and Regional Frames* [Slavic Eurasian Studies 30], Sapporo: Slavic-Eurasian Research Center, 2016, pp.117-130.

（26）ペテルブルグ在住のSF作家ヴャチェスラフ・ルイバコフとイーゴリ・アリモフがヴァンザイチクのペンネームで合作している。二人はそれぞれ中国法制史と中国文学の専門家としても知られている。『ユーラシア・シンフォニー』シリーズについては以下の研究を参照。Mikhail Suslov,"Eurasian Symphony: Geopolitical and Utopia in Post-Soviet Alternative History," in Mark Bassin and Gonzalo Pozo, eds., *The Politics of Eurasianism: Identity, Popular*

Culture and Russia's Foreign Policy, Rowman & Littlefield International, 2017, pp.81-100.

（27） *Ibid*. p.99.

＊　本研究はＪＳＰＳ科研費「15H03193」「16K13119」の助成を受けた。

文学作品と流通をめぐる政治と文化の力学

二十世紀のドイツ語文学とポーランド語文学からみる上シレジアのイメージ

井上暁子

はじめに

シレジアは、現在のポーランド南西部からチェコの北東部に広がる地域の歴史的名称である。現カトヴィツェ（ドイツ名：カトヴィッツ）を中心とする上シレジア[1]、現ヴロツワフ（ドイツ名：ブレスラウ）を中心とする下シレジアから成る。政治的帰属先をめまぐるしく変化させてきた典型的な中央ヨーロッパの辺境地域のひとつで、言語、文化、政治、社会の各方面にドイツ、チェコ、ポーランド、オーストリアの影響が残る。

本稿は、上シレジアをめぐる政治と文化の力学を具体的な作品を例に論じるものだが、本論に入る前に、シレジアの「ことば」について、とくに国語とアイデンティティの関係について若干述べておきたい。シレジアは中世以来、外国からの植民が盛んに行われる一方で、ラテン語が文化的エリートの「書きことば」として浸透していたことから、他の西欧都市との文化交流も活発だった。シレジア文化は言語や民族性で区分することが不可能で、住人のアイデンティティも使用言語と一致するとは限らない。しかし、「諸国民の春」の影響を受けて上シレジアで民族意識が覚醒し、ポーランド語による農民の啓蒙が行われた十九世紀半ば以降、シレジアは民族運動の温床となった。ポーランド独立（一九一八）に後押しされ、ポーランド語話者の多かった上シレジアで武装蜂起（一九一九―二一）が起こった後、ポーランド領（上シレジア）とドイツ領（下シレジア）へ分割される。続いて、ドイツ第三帝国による占領、ユダヤ人などに対して行われた組織的殺戮、ドイツ系住民の追放と引揚げ、国境移動によるポーランドのシレジア領有、ポーランド東部領からの住民の強制移住などにより、シレジアの多言語・多文化社会は完全に崩壊した。

体制転換後ポーランド語圏では、社会主義体制下の中央集権的なポーランド文学を脱構築する動きが起こり、一つの言語や文化、あるいは民族への帰属意識で規定しえない「複合的アイデンティティ」を辺境地域のアイデンティティとして描く文学作品が次々と発表された。シレジアからもオルガ・トカルチュクのような作家が現れ、世界的な注目を集めている。[2] しかしシレジアが本来有していた流動性やトランジット性や複合的アイデンティティは、一九九〇年以前の、たとえば「民族意識に深く根差した作品」や「方言を多用する作品」にもあった。本稿ではその例として、一九三〇年代の「シュレージエン文学」を代表する『亜鉛は金になる』と、一九五〇年代のポーランド社会主義リアリズムを代表する『ヨアンナ坑』を取り上げる。両作品はともに上シレジアゆかりの産業王カール・ゴドゥラと、その養女ヨアンナを題材とする。

紋切り型の上シレジア・イメージの克服に向けて

上シレジアは、十四世紀以降ポーランド領の外にあり、ポーランド王国との経済的文化的な強い結びつきを保ちつつも、神聖ローマ帝国、ボヘミア王国、ハプスブルク帝国、プロイセンなど帰属先が次々と変わった地域である。シレジアの交通の要所であるヴロツワフ／ブレスラウから隔たった最奥の地であり、鉱物資源は豊富だが貧しく、ポーランド語話者、カトリックが多い。上シレジアを舞台とする小説は、二十世紀ドイツ語圏、ポーランド語圏で盛んに書かれたが、いずれにおいても「経済的にも文化的にも後れた地域」というイメージが通底している。

そもそも「経済的文化的後進地域」という上シレジア・イメージは、各言語・文化圏の「中心」の存在を前提に形成され、普及したイメージである。その背景には、民族意識の高揚という十九世紀から二十世紀の政治状況だけでなく、イメージを伝達する大衆文化やネットワークの発達、交通網の拡充といった社会の変化がある。異なる言語・文化が混生する状態を「始末に悪い」とする政治と、古くから文化のコンタクトゾーンで、絶えず異質なものがもたらされ、変化が促されるというシレジアの状況と、ドイツ、ポーランド各文化の拠点として急速に発展した下シレジアの都市ブレスラウ／ヴロツワフの存在が、何重もの負荷となって上シレジアにはのしかかっている。

それゆえ、上シレジアを題材とする文学は、たとえ単一の言語で書かれていたとしても、ひとつの言語・文化圏にとどまらない側面をもつ。本稿で取り上げる二作品は、いずれも国家という政治・文化の「中心」が、強烈なイデオロギーを打ち出した時代に書かれたものであり、作品の主題にしても出版事情にしても、「中心／辺境」の二項対立をぬきには論じえない。しかし、精霊、鉄道、多言語性という、言語・文化圏をまたぐ題材に着眼し、必要に応じて社会文化状況について補足することで、上シレジアを取り巻く政治および文化状況をより立体的に論じたいと思う。

精霊は、言語・文化圏によらず広く親しまれたロマン主義のモチーフである。ドイツ語圏では、十九世紀初頭の後期ロマン派を代表する上シレジア出身作家ヨーゼフ・フォン・アイヒェンドルフなど、抒情詩人の作品に登場する。ポーランド語圏では、領土分割期にあたる十九世紀、亡命地でロマン主義が成立したという特殊な事情により、ロマン主義は一時代の精神運動としてではなく、民族意識の覚醒や民族の統合という強い政治性をもった運動として発展した。幻想性、神秘性、フォークロアといった普遍的な特徴をもちながらも、政治性という伝統は二十世紀以降も受け継がれた。

他方、鉄道もヨーロッパ文学全般に広く見られるモチーフである。[3]『織工』(一九〇四)で知られる下シレジア出身の自然主義作家ゲルハルト・ハウプトマンも、詩「夜汽車にて」(一八八八)や短篇「踏切番ティール」(一八八八)で鉄道を描いている。[4]

本稿で取り上げるドイツ語小説『亜鉛は金になる』との関わりにおいて重要なのは、十九世紀末に誕生し、ナチスが称揚した「シュレージエン(郷土)文学」の存在である。ポーランド民族の文化を「混沌、迷信、肉欲、非合理性」とし、ドイツ民族の文化を「秩序、理性、合理性」としたこのジャンルにおいて、精霊は未開や野蛮の象徴であり、鉄道は近代化や産業化の象徴とされた。

第二次世界大戦後、「シュレージエン」は鉄道と組み合わさるや、「引揚げ」や「移送」ぬきには語られなくなる。旧ドイツ東部領引揚げ体験者の記憶の中で、鉄道は並々ならぬ重要性を帯びる。引揚げを「ドイツ民族の悲劇」として描く大衆的ジャンルはもとより、それとは一線を画すホルスト・ビーネク(一九三〇―九〇、上シレジア生まれ)のようなドイツ語作家の手記や文学にも、鉄道はしばしば登場する。また、ナチスドイツ占領期において「上シュレージエン行政区」にあったアウシュヴィッツ＝ビルケナウ絶滅収容所の生還者による手記や文学作品は、鉄道による移送や終着駅の様子を生々しく伝える。

ドイツ語圏でシレジアの鉄道のもつコノテーションは、このように一様ではないが、書き手の多くは、シレジアとの物理的精神的つながりをもつ人々であった。近年ドイツ語圏では、『カッツェンベルク』（二〇一〇）の作者サブリナ・ヤネシュのような、旧ドイツ東部領引揚げ者の第三世代によって、シレジア紀行文学が書かれている。[5] 語り手は、祖父母から聞いた引揚げの話を、自分自身の想像と旅の体験で補いながら語りを紡いでいく。それらの作品は、マリアン・ハーシュの「ポスト・メモリー」の理論を用いて分析され、トカルチュクなどの現代ポーランド語文学とあわせて、「旅・移動」のトポスを形成する。精霊と鉄道は、そのトポスの主要なモチーフでもある。

「経済的文化的後進地域」というイメージが上シレジアに付与されたのは、ポーランド語圏でも同じだった。しかし、そもそもポーランド語圏では、十七世紀から、シレジアの詩人や歌謡収集家が、旅をしながら収集し詠んだ歌が存在した。分割期には、鉄道敷設により、シレジアの外から多くの旅行者が訪れ、紀行文やエッセイを書いた。[6] とくにロマン派詩人によって書かれた作品や紀行文は、根源的で原初的な自然を求めるロマン主義の精神を基調としており、その影響は本稿で取り上げるモルチネクの作品にも認められる。

一九四五年以降、鉄道はポーランド語圏でも、戦争文学や映画の重要なモチーフとなった。上シレジアの作家グスタフ・モルチネクは、社会主義リアリズム小説『ヨアンナ坑』（一九五〇）を書き、映画監督カジミェシュ・クッツは、「ポーランド派」にふさわしく、社会主義リアリズムの路線に公然と反旗を翻して、映画『列車の人々』（一九六一、ロカルノ国際映画祭銀賞受賞）を撮り、国際的評価を得た。二〇〇〇年代になると、精霊や鉄道には、シレジアの歴史やポーランド民族運動や炭鉱労働の神話を脱構築する、新たな役割が付与される。前述のトカルチュクもそうだが、クッツによる初の小説『五番目の方位』（二〇一〇）や、七〇年代上シレジアに生まれたシチェパン・トファルドホの多言語小説『ドラゴン』（二〇一四）がその例である。

言語的文化的に多様なものをまとめていこうとする力（求心力）と、そこから外れようとする力（遠心力）のせめぎ合いがあるとすれば、シレジアにおいては、それらが一つの現象の中で複雑な層を成すように思われる。つまり、精霊や鉄道は、「シュレージエン文学」やポーランド・ロマン主義文学の要素であると同時に、政治的求心力によって硬直化した言語・文化のヒエラルキーを転覆させ、特定のイメージの変化を促す機能も帯びる。シレジア内外を結ぶ人の移動、書籍の流通、芸術や思想の伝播、多言語創作[7]、実験的建築[8]など、シレジアを取り巻く様々な遠心力の中で本稿が扱うのは断片に過ぎないが、求心力にずれを引き起こす例としては十分であろう。

ハンス・ノヴァク、ゲオルグ・ツィヴィア共著『亜鉛は金になる』

「上シュレージエン」の神話化

小説『亜鉛は金になる』（一九三七）は、ハンス・ノヴァク（一八九七—一九五八）とゲオルグ・ツィヴィア（一八九七—一九七四）の共著である[9]。ノヴァクとツィヴィアは同じ年に下シレジアに生まれ、同じギムナジウムに通った。彼らの父親がヨーロッパ有数の財閥（マグナート）である上シレジアのプレス伯領主館に勤めていたせいで（ノヴァクの父親は教区監督であり、ツィヴィアの父親は古文書館長だった）、二人は幼少期から封建領主の華麗な生活様式に慣れ親しんだ。

ノヴァクは一九三一年ベルリンへ移住し、上シレジア出身のアウグスト・ショルティス（一九〇一—一九六九）と交流しながら、「上シュレージエン」というテーマに傾倒していった。他方、ツィヴィアはベルリンの前衛文芸誌『火の戦士』を編集しつつ、演劇の脚本や批評を執筆した。ナチス台頭後、ノヴァクは妻がニュルンベルク法の「完全なユダヤ人」に分類されたが、「特別許可」により出版を許された。「非アーリア人」とされたツィヴィアは、駅の荷物運搬人をして糊口をしのいだ。彼らの共著がノヴァクの名前で出版されたのは、こうした事情による。

両者の作風はかなり異なるが、『亜鉛は金になる』のどの部分をどちらが書いたのかは分かっていない。二人は本作以外に、短篇『もう一方の男ナンテ』（一九四三、『天国に召されたナンテの身体』と改題され一九四七年出版）、長篇『ヴェルディ、または運命の力』（一九三八）、『夜が明けたら』（一九四一）を共著で発表している。(10)

『亜鉛は金になる』の主人公カール・ゴドゥラ（一七八一—一八四八）は、山番の息子として上シレジアに生まれ、カール・フランツ・フォン・バレストレーム伯爵（一八三四—一九一〇）のお抱え猟師から、溶鉱炉監督者、鉱山管理人を経て、産業王となった人物である。旧来の封建社会に急激な改革を導入しようとして同僚の恨みを買い、片腕と片足に障害をもつ身となった。皆から奇人扱いされ生涯独身を通したが、時代を先取りする嗅覚とずば抜けた事業の才覚により巨万の富を築き、晩年にはポーランド人鉱夫の遺児を引き取り、養女ヨアンナとして育てた。ゴドゥラ死後、莫大な財産を相続した少女は、シレジアの名門貴族シュラフゴッチュ伯と結婚し、鉱山王国の繁栄を図った。ゴドゥラのドラマチックな生涯とヨアンナの物語は、「上シュレージエン文学」が好んで取り上げた題材である(11)。

亜鉛は十六世紀から上シレジアで採掘されていたが、当時は純度を高める技術がなく、原料のまま か、もしくは真鍮に加工して国外へ輸出されていた。ところが、十七世紀から十八世紀の転換期、状況は大きく変わる。「魔術師」と呼ばれたルーベルクという男が、それまでゴミとして捨てられていた大量の鉱滓(こうさい)を純度の高い亜鉛に変える、新しい精製技術を発見するのだ。ルーベルクがアンハルト＝プレス伯爵領に建設した溶鉱炉を視察したゴドゥラは、同じものを建てるべきだとバレストレーム伯に進言し、当地の亜鉛業を世界レベルに引き上げた。やがて鉄鋼にも事業を拡大し、上シレジアにある百を超える鉱山のおよそ半分を手に入れる。

鉱物資源は豊かだが、取引所や世界市場から遠く隔たるせいで、プロイセン王国の中央部にありながら「最果ての地」とみなされていた上シレジアは、亜鉛業により十八世紀突如商業の中心地となり、商人や土地相場師が雪崩れ込んだ。この話は、上シレジア史の輝かしい一ページとして本小説の各所で強調され[12]、十九世紀上シレジアの産業化は、その延長線上にある一種の反復として描かれる。

十九世紀、急速な産業化によって上シレジアは「新しいアメリカ[13]」と呼ばれ、シレジア近辺の国境地帯のみならず、ポーランド王国、モラヴィア地方、クラクフ共和国から労働者が押し寄せてくる。鉱夫として働くそれらの人々は元農民であり、彼らの生活様式や文化は、規律に縛られる鉱夫のそれとは異なる。鉱山管理人になったゴドゥラは「新しい産業が生んだこの傭兵の大群に、秩序と法律を持ち込もうと」する[14]。こうして、様々な地域出身の、民族的にも言語的にも雑多な集団が、ドイツ帝国の「傭兵」と一括りにされ、未開／野蛮な世界との闘いへ駆り出される。ゴドゥラは彼らに「勤勉さ」、「礼儀正しさ」、「清潔さ」、「倹約」を求める代わりに、食糧庫を用意して飢えから彼らを守る。やがて上シレジアの亜鉛はヨーロッパの各地へ運ばれ、海をこえて、外国市場にも影響を及ぼすようになる[15]。

上シレジアの神話化という観点から言えば、本作は、「未開のシレジアを産業化する」という企てを歴史の反復として描いている。しかもそのメッセージは、ゴドゥラという強烈な個性の持ち主についての神話と合体することで大衆的な性格を帯び、読者がより受け入れやすいものへと変化している。

上シレジアの神話化を促すもうひとつの材料になっていると思われるのは、十九世紀の上シレジアの社会文化に関する豊富な記載である。これは本書に写実的な性格を付与している。つまり、ゴドゥラの亜鉛業・鉄鋼業の発展を主軸としつつも、上シレジア社会のかかえる貧困問題や階級間の対立だけでなく、上シレジアの経済が好転していく様子を、とくに市民の生活に立脚して描いているのだ。

ゴドゥラの事業が軌道に乗り始めた一七九〇年代、上シレジアの市場にも、ターラー銀貨やドゥカーテン金貨が出回るようになり、グライヴィッツやボイテンなどの都市では小商人の羽振りがよくなる。ハンガリー葡萄酒店が繁盛する。以前は貴族や領主の行楽地・温泉保養地で、庶民には縁がなかった下シレジアもずっと身近になり、年末の歳の市では、「異国情緒たっぷりの海豹や尾長猿」を披露する「動物展覧所」が、ブレスラウからグライヴィッツへ巡回してくるようになる。[16]

上シレジアの社会文化状況についてのこうした詳細な記述は「発展と栄華の物語」に集約され、ドイツ語圏における上シレジア・イメージの更新に寄与している。それを別の角度から示すもう一つの例が、本作における十九世紀ヨーロッパの革命運動や農民運動の描かれ方だ。それらはきわめて限定的で、上シレジアの市民層、とくに産業資本家の視点から語られている。本作には、貴族（地方産業と密接な関係をもつドイツ系のシュラフゴッチュ伯、ヨーロッパの革命運動に身を投じるポーランド系のスウコフスキ公）、ドイツ系の新興市民（ゴドゥラや小商人）、労働者（農民出身のポーランド人、各地から流入する移民）という三つのグループが登場する。ゴドゥラはヴィルへルム二世より爵位を授けられるが、上シレジアの貴族らは侮蔑を隠さない。労働者は非ドイツ系で、集団として描かれる。

小説後半に登場するスウコフスキ公（一八一四―一八七九）は、「諸国民の春」に加わった後、上シレジアに帰って来た貴族で、フランス語をまじえて話す気取り屋であり、「傍若無人で意地悪な奴」として描かれる。一八四〇年代末、彼のスウプナ城がガリツィア農民運動の反動勢力の牙城となったために、本人はプロイセン軍の手が伸びる前に逃げ出すが、母親のルドヴィカ夫人は反乱軍に殺される。夫人の暗殺は世間を騒然とさせた事件として言及されるが、詳細は語られず、「正体の分からぬ反乱臭」や「無鉄砲な暴力が闇の世界を支配した」などの漠然とした表現でうやむやにされている。

歴史的には、一八四八年のヨーロッパ各地で起こった革命運動は、シレジアに波及し、ガリツィア農民運動を引き起こす一方で、ユゼフ・ロンパのような運動家[17]によるポーランド民族意識の覚醒につながっていった[18]。しかし、あくまでも「上シレジアの急速な産業化のプロセスを記録した作品」であった本作は、その全体像を描きはしない。『シュレージエン文学』によれば、ドイツ語圏で、上シレジアの産業は「社会および国政に関わる数々の重大な問いでがんじがらめの状態にあり、その情況を調べることは、少なくともドイツ人側からは有益とみなされた」が、一九三〇年代、とくにナチスドイツが政権を掌握してからは、ドイツ／ポーランド関係が改善し、ポーランド系や移民から成る労働者層も広範囲で充足感を得つつある、と考えられた。人々はそれらの成果をナチスの偉業と確信しており、産業の発展をもたらしたパイオニアに歴史的価値を見出す一方で、産業化が引き起こした一連の複雑な問題は「発展と栄華の物語」にあてはまる部分だけ享受したということである。[19]

「シュレージエン文学」というジャンルにおける題材の取捨選択に偏りがあるとすれば、それは一九三〇年代ドイツの大衆文化における上シレジア・イメージという観点からも更に検討されなければならない。しかし、ここではもうしばらく作品内の題材の描かれ方に注目してみたい。シレジアの社会文化状況に関する記述と並んで、鉄道と精霊は当該ジャンルに顕著な特徴だからである。

通過地としてのシレジア――移動と多言語空間

本小説には、大洪水や伝染病など、国境という人為的境界を越えてくる脅威についての描写が多い。水害がプレス地方を襲ったというニュースを聞きつけたゴドゥラが、慌てて現地へ向かう場面では、当地の混乱状態が、上シレジアの立地条件と多言語性という二つの側面から描かれている。水害が起こった時期は一八二〇年代と思われる。

エマヌエルスゼーゲン〔上シレジアの町、現ムルツキ〕をつい眼の前にした大十字路にさしかかると、もう前へは進めなくなった。ここから東へ向かう街道は遠くポーランド、ロシアに通じ、南方へ続く道はプレスへ、南西はアンハルト地方へ、北へ走る道はグライヴィッツ〔上シレジア、現グリヴィッツエ〕を経てブレスラウ〔下シレジア、現ヴロッワフ〕に通じていた。

その大交差点が、今日はさながら粘土坑だった。その粘土坑に荷車や、客馬車や、小型の荷車や、農家の手押し車などが、車輪の上の方までものめり込んでいた。御者や下僕たちは、並外れた努力をふり絞りながら、雑然渾然と食い合ってしまった車輪を収拾しようと試みていた。怒鳴りたてては罵り合う。――それがまたドイツ語、ポーランド語、メーレン語、ハンガリー語ときているから、もう我と我が言葉さえ分からなくなる始末。[20]

この場面に描かれる上シレジアは、プロイセン王国の辺境地ではなく、ヨーロッパ各地とつながる「大十字路」「大交差点」である。四方八方から押し寄せる人々が、「粘土坑」のようなぬかるみにはまって動くことができない様子は、多言語空間の中で「自分の言葉さえ分からない」混乱状態に重ねられている。

「ものの流通」「人の交通」の延長線上には、「運搬・移動手段としての鉄道」がある。晩年のゴドゥラは私財を投じて、鉱山王国の中心にあるモルゲンロート停車場からシュヴィーントフロヴィッツ（現ポーランド、シフィエントフウォヴィツェ）へ支線を引く。シュヴィーントフロヴィッツ停車場の落成式のプログラムには、「国王陛下の区間初乗り」という一大イベントが組み込まれ、その姿を一目見ようと近隣の貴族、市民、労働者が、羽根飾りや制服に身を包んでつめかける。ゴドゥラも「十字架騎士団章をつけて」参列する。ところが、プラットホームに滑り込んできた機関車は速度を落としただけで、そのまま轟音を立てて走り過ぎる。

この場面は十ページに及ぶ本書の山場である。頑丈な石造りのプラットホームや漆喰塗りの駅舎が象徴する産業化の「新しい波」と、炭鉱の煙を吐き出す煙突や巻揚機(ウインチ)が象徴する「古い波」がコントラストをなし、その背景には、鉱山のジグザクの尾根、休耕地、森林が広がる。豊かな自然と、段階的に進行する産業化の様子が、上シレジアのイメージとして提示されている。蒸気機関車が停車しなかったことでゴドゥラは笑い者になるが、本人がそれを気に病む様子はまったくない。本書においてゴドゥラは常に「時代を先取りする男」として描かれており、鉄道の敷設というこの栄光の瞬間においても、彼の関心時は、上シレジアを襲う大窮乏と失業問題である[21]。

シレジアでは一八三〇年代初頭、鉄道建設計画が着手され、一八四二年初の路線の敷設が始まった。一八四六年までに上シレジアはブレスラウ、ベルリンと結ばれ、一八四七年ウィーン、ドレスデンともつながる。建設計画において中心的役割を果たした「上シレジア鉄道協会」のメンバーはシレジア地方在住者に限定されていたが、協会はやがて、ブレスラウを中心とする企業家、商人、地主貴族らと協力して事業を拡大していった。十九世紀半ばにはプロイセン王顧問が「山岳鉄道」

（のちに「シレジア山岳鉄道」と改名）の設立を唱え、一八六二年には、ザクセン地方のゲルリッツと下シレジアの都市ヴァルテンベルク（現ポーランド、スィッフ）を結ぶ路線建設をプロイセン王国が百パーセント保証するという案が議会で可決された。一八七〇年代から八〇年代にかけては、国営鉄道の建設は最盛期を迎え（一八七〇年代初頭、下シレジアとロシア領ワルシャワを結ぶ路線も敷設された）、二十世紀初頭には主路線からローカル線が引かれた。[22]

シレジアの鉄道建設事業が、下シレジアの中心都市ブレスラウを中心に発展していく中で、上シレジアでの鉄道建設は、地方密着型の性格をとどめ続けた。資本は、莫大な富を抱える企業家、ユンカー、ローカル社会の利益を代表する機関に依った。重工業との結びつきが強い上シレジアだが、鉄道[23]の建設を担ったのは、二十世紀初頭においても商工会議所や農業協同組合だった。それは上シレジアの工業がまだ発展段階にあり、いくつかの地域では依然として農業が中心だったことを示す。[24]

シュヴィーントフロヴィッツ停車場落成式の正確な年号は不明だが、ゴドゥラの没年からみて、一八四六年から四七年と推定される。市民層を代表するドイツ人企業家のゴドゥラが私財を投じてローカル線を引き、プロイセン国王歓迎の熱狂に流されることもなく、上シレジアの飢餓や失業問題に頭を悩ませているという姿こそ、本小説が書かれた一九三〇年代のドイツ語圏における、理想的な「上シュレージエン人」像だった、ということだろう。

本書における鉄道の描き方はほぼ一貫して写実的であるが、シュヴィーントフロヴィッツ停車場落成式の次の章では、ロマン主義的な様相を呈している。

しゅっしゅと激しく息づく巨竜の腹に〔im Bauch des schnaubenden Drachen〕身を任せ、息も詰まるばかりの旅に出ようという「冒険家」たちは、長蛇というも愚かな見送人を停車場まで連れてきた。ただ涙にかきくれる、いつ果てるともない別離の光景[25]。

本書において鉄道や駅は、技術・産業化と結びつくときは写実的に、旅や冒険と結びつくときはロマン主義的な描かれ方をする。こうした傾向がシレジア文学全般に当てはまるのかについては機会を改めて検討するが、ポーランド語による「シロンスク文学」は十九世紀においては明らかに後者の傾向が強く、その伝統は二十世紀に引き継がれた。付言するなら、一九九〇年以降、トカルチュクなど現代ポーランド語作家の文学がドイツ語圏の作家に影響を与えることで、シレジア文学の「旅・移動」のトポスは再び活気づいている。シレジア文学が国際的な文脈へ開かれるにあたって、ロマン主義的要素が大きな役割を果たしていることは確かであろう。

「シュレージエン文学」の精霊表象

本小説の大部分は地上で展開し、鉱夫の世界についての描写はわずか数ページしかない。炭鉱の経営、監督といった仕事に従事し、坑道に入る機会の少なかったドイツ人にとって、地下や坑道は「未知の世界」であった。鉱夫の生活文化や言語についても同様である。

しかし精霊はフォークロアや伝説のみならず、ロマン主義文学を通してドイツ文化圏でも広く親しまれているモチーフである。「シュレージエン文学」は、迷信や民間信仰に支配されたシレジア土着の文化を「後進的」とみなし、それを信じる人々を「未開の民」として描いたが、その一方で、「シュレージエン文学」の源泉のひとつであるロマン主義は、精霊や伝説を好んで題材とした。「シュレージエン文学」の精霊というトポスにはそうした二面性があり、本作のプロローグもそれを端的に示す。

おおかたの鉱夫の部屋には、ソファの上に、地下の坑道で死んだ父あるいは息子の絵が、黒い晴れ着を着た姿でかかっていた。「お天道様の照る坑外作業でありますように」と皺だらけの老婆は呟き、遠くをじっと見つめる。「地下は死者のためにある」。

この民族は百年前からこの鉱山や溶鉱炉近辺で働いてきて、レバーや動輪の秘密を知っているが、彼らは農地から坑道へやってきた彼らの先祖と同じように、農夫であり続けている。仕事が終わるとじゃがいもを栽培し、ヤギ小屋の扉を修繕し、果樹の世話をしようとする。農民は自分たちの感性を悪魔とその連れに委ねる。あなた方が、あなた方の感性を神と聖人に委ねるように。池のほとりや橋のふもとにはウトプレッツ〔水辺の精霊〕が座っており、ダンスパーティーから帰る途中の下女をかどわかし、冷たい部屋に迷い込ませる。地下丸天井の下にはスカルブニク〔炭鉱の精霊〕が住んでいて、正直者の炭鉱夫の頬を軽くたたいたりわき腹をつついたりして、悪天候や岩の落下を報せる――「鉱夫は坑道を歩く時、口笛を吹いたり小声で悪態をついたりしてはいけない、さもないとスカルブニクが悪さをする」[26]。

先に述べたように、水辺の精霊や大地の精霊の伝説は、スラヴ文化圏に限定されるものでない。しかし上記の引用において、それらは、ポーランド人鉱夫／農民の空想の産物とされている。語り手は言う――ポーランド人鉱夫は依然として農耕と不可分の暮らしを送っており、「(悪魔に委ねられる)農民の感性」を保ち続けている。それはあなた方、ドイツ人読者の感性の対極にあるものだ、と。しかし同時に、上記の引用箇所からは、ウトプレッツやスカルブニクに対する強い憧れも感じられる。「シュレージエン文学」とロマン主義の関係については、ロブスが『シュレージエン文学史』でも多くのページを割いているが、本稿の枠を超えるため、機会を改めて論じたい。

シレジアの精霊に関連してもうひとつ重要と思われるのは、「ポーランド人鉱夫／農民の世界」と「ドイツ人の世界」の跨境というテーマである。ひと口に跨境と言っても、その目的は「啓蒙」から「純粋な知的好奇心」まで様々であるが、「シュレージエン文学」にはこのふたつの世界を跨ぐ人物がしばしば登場する。[27]

本作で跨境の役割を託されているのは、ゴドゥラの養女ヨアンナである。ゴドゥラの死から十年がたった一八五八年、ヨアンナはシレジアの名門貴族シュラフゴッチュ伯と結婚する。ポーランド鉱夫の遺児である彼女は、ドイツ資本家の庇護の下で西ヨーロッパの教養を身に着け（彼女の家庭教師はイギリス人である）、貴族と結婚する。民族性・社会階層・ヨーロッパ東西文化など、複数の境界を跨ぐ存在と言えるだろう。

さらに、本小説の中でこの少女には、シレジアの民族・言語・文化の多元性のイメージが重ねられている。スウプナ城のスウコフスカ夫人が暗殺された一八四八年、六歳のヨアンナは、ゴドゥラ館の台所で、スカルブニクやウトプレツの話を聞かされていた。大人たちは夜陰に乗じて少女を逃がすが、その道中、彼女は「溝という溝の傍らを物の怪が走り回っている」のを目にする。それらの精霊は、おそらく他のドイツ人の眼には見えない存在だ。

ヨアンナの呼び名は、対話者やシチュエーションによって、「ハンヒェン」「ヤネッテル」「ヨアンナ」「ヤネッテ・グリツィク」「ヤネッテお嬢さん」「ハヌーシュカ」と目まぐるしく変わる。そこにはまさに、ドイツ、ハプスブルク、チェコ、ポーランドなど様々な文化が混じり合い、帰属先の国家が頻繁に変わってきたシレジアが重ねられている。

しかし小説全体としてみると、ヨアンナの嫁入り話に沸きかえる結末が端的に示すように、[28] ヨアンナが具現化するのは、あくまで「独立した民族・言語・文化が複数存在する」という意味でのシレジアの多元性であり、それを統括し、繁栄に導く「求心力」であろう。ヨアンナという実在の人物を借りて、ドイツ文化への上シレジアの取り込みが試みられていると言える。

『亜鉛は金になる』の出版事情

ここまで本作のモチーフや、ドイツ語圏における上シレジア・イメージといった観点から論じてきたが、ここで出版や流通という側面から本作品とその時代について考察したい。本作が出版されたのは、ナチスドイツの政権掌握から四年後の一九三七年である。すでに述べたように、ユダヤ系のツィヴィアの名前を伏せて出版されたが、ユダヤ系作家の迫害以外にも、本書の出版の背景には特筆に値する状況がある。ヴォイチェフ・クニツキは『〈……この帝国への道すがら〉——一九三三年から一九四五年のシレジアにおけるナチスの文化政策と文学』の中で[29]、本書の出版事情について詳細に論じており、以下はそのおおまかな内容である。

『亜鉛は金になる』の初版を刊行したコルン出版社は、一七三二年ブレスラウに設立され、一九三〇年代は社長ベルクマン＝コルンのもと、四五〇名の従業員を抱えていた。一九三六年十一月二十日、ナチス党は同社の経済難に乗じて、同社をナチス党経営に変える打診をしてきている。コルン出版社はその数カ月前まで人事部長だったカール・ディルセン（シュレージシェン新聞編集長で、ナチス党により「危険な敵」とみなされていた）を首にし、その後任にナチス党の共鳴者を据えた。

出版プログラムはナチス党の意向で、より「地域色」の強いものを重視する方針へ変わった。一九三七年前半、新聞連載されていた『亜鉛は金になる』の出版の話は、こうした状況の中で持ち上がった。同書の担当になった編集責任者フライシャーは、一九三六年から三七年にかけて、ノヴァクを含む複数のシュレージエン作家と契約を結んでいる。

フライシャーは「上シレジアの読者の需要」と「ドイツ第三帝国の読者の需要」が異なることを意識し、それぞれに向けて別の宣伝をした。一九三七年八月二十七日付のノヴァク宛の手紙によれば、上シレジア向けには「われわれの故郷の偉大な男」として、一般向けには「宝を探す冒険家」「伯爵の花嫁となった鉱夫の子供」ないし「莫大な遺産についての本当の物語」として売り出すべきだ、とある。初版刊行前には、特別版が上シレジアのシュラフゴッチュ鉱山の全従業員に贈呈された。

一九三七年初版五千部、クリスマス前に第二版五千部が刊行された。一九三八年前半、シュラフゴッチュ鉱山の経営管理部は同小説を社内報に掲載することを決め、同年半ば、ザクセン地方のナチス系出版社が再版に興味を示した。フライシャーは、販売戦略も二段階で進めた。まず、作家ノヴァクと主人公ゴドゥラといった個人の伝記に対する興味を喚起し、次に、シレジア出身ドイツ語作家に書評を書かせることで、十九世紀におけるシレジアの重要性を印象づけ、社会文化史に対する関心を引き起こした。この戦略が功を奏し、一九三九年前半には同小説はドイツ各地の地方紙に掲載され、ベルリンの書籍クラブから八千部が刊行された。

こうして第二次世界大戦直前、コルン出版社は大衆文学の生産に関して、とくに書籍の品質面で、シレジアの他の出版社とは比べ物にならない好条件を得た。多くのシュレージエン作家がコルン出版社に職を得、同社はドイツ帝国有数の出版社という地位に上り詰めた。一九四〇年には、ベルリンの書籍クラブからさらに五千部が刊行された。

一九三二年において、「シュレージエン文学」はシレジアの限定的な読者サークル内でしか読まれないのではないか、と考えられていたが[30]、『亜鉛は金になる』の成功により、同時代のドイツ文学におけるシュレージエンの地位はめざましく向上した。コルン出版社は、ナチスドイツのイデオロギーと相性の良い「郷土文学」というジャンルを使って、ナチス党との対立関係も「ドイツ文学」とのヒエラルキー関係も解消し、本書を「ドイツ文学」というパッケージで売り出した。同時に、シレジア出身ドイツ語作家に職を与え、シレジア土着のシュラフゴッチュ鉱山と親密な関係を築いた。

あくまで「販売されるもの（書籍）」としてみた場合であるが、本書の出版事情を取り巻く政治と文化は、「求心力」と「遠心力」の複雑な関係を垣間見せる。シュレージエンを核とする「求心力」は、ナチスのイデオロギーという別の「求心力」と結びつき、地域貢献を通してその「求心性」を一層強めつつ、同時に「シュレージエン文学」をドイツ文学へ開くことによって「遠心力」へ変わっていった、と言えるのではないだろうか。

シロンスク文学の父

グスタフ・モルチネク『ヨアンナ坑』

グスタフ・モルチネクは、一八九一年オーストリア＝ハンガリー帝国領チェシン地方の町カルヴィン（現チェコ、カルヴィナー）に生まれた。チェシン地方はシレジア南部に位置し、ポーランド系、チェコ系、ドイツ系、ユダヤ系など、民族・文化・言語の多様性に富んだ地域であるが、宗教的にはプロテスタントが強い。古くから採炭地として知られ、鉱夫の家庭に生まれたモルチネクも一時期鉱夫として働いた経験を持つ。

一九二〇年チェシン地方がチェコスロヴァキア領（チェスキー・チェシン）とポーランド領（シロンスク＝チェシン）に分割されると、モルチネクは故郷を追われ、シロンスク＝チェシンの町スコチュフに移住し、小学校の教師をしながら創作を始めた。一九三九年ドイツ軍に逮捕され、一九四五年四月までザクセンハウゼン、ダッハウなどの強制収容所を転々としたが、一九四六年スコチュフへ戻った。戦後は、ポーランドの社会主義リアリズム文学を代表する作家となり、一九五二年から五七年にはポーランド国会議員も務めた。

モルチネクは「鉱夫の民族闘争と労働」を主題とし、炭鉱の労働を「神話の次元へと高め、炭鉱生活のエキゾチシズムを露呈させた」作家とされる。[31]『ヨアンナ坑』（一九五〇）に代表される炭鉱小説、『黒いユルカ』（一九五九）などの児童文学、シレジアに古くから伝わる伝説や民話の翻案小説『オンドラシェク』（一九五三）などにより、モルチネクは「シロンスク文学の父」とよばれた。[32]ルボスは、『シュレージエン文学史』に挿入された「ポーランド文学」の章で、モルチネクについて以下のように述べている。

ポーランド民族には最終的に失敗を活かし改革する力があるという信頼の中で、写実的で社会主義的な傾向が生来のロマン主義と合体した。モルチネクは労働者詩人として、封建主義的なドイツ支配から国家の自治へという変革を、社会的解放の始まりと解釈することができた。[33]〔……〕モルチネクは、厳しい制約ぬきに共産主義的社会主義に同調することができた。彼は〔ポーランド人民〕共和国の社会活動については不十分だと批判するか、もしくは独裁者の圧力を受けつつ慎重に非難したが、イデオロギーにはほぼ完全な意見の一致と、ひいき目に見た自由とを見出した。[34]

社会主義リアリズム文学の代表格と言っても過言ではないモルチネクは、現在のポーランドでは、

「教科書には出てくるが、時代遅れ」とみなされがちな作家のひとりである。しかし、ドイツ語／ポーランド語文学における上シレジアを論じようとする本稿において、モルチネクの『ヨアンナ坑』は外すことができない。というのも本作は、ゴドゥラの鉱山王国のアルノルド鉱床で二十世紀前半に繰り広げられるポーランド人鉱夫らの物語であり、その意味では『亜鉛は金になる』の続編とも言える小説だからである。

『亜鉛は金になる』と『ヨアンナ坑』を比較するにあたり、モルチネクの作品におけるロマン主義的要素に注目したい。その主要な部分を占めるのが、シレジアに古くから伝わる伝説や民話である。とくに「シャルレイ」と呼ばれる炭鉱の精霊は、『亜鉛は金になる』では周縁的にしか扱われなかったが、本作では、大昔から二十世紀にかけてアルノルド鉱床で起こる様々な出来事の背後にいつもそっと佇んでいる、「姿なき主要登場人物」である。

『ヨアンナ坑』における「シャルレイ」についてはルボスも言及しているが、その解釈は浅薄なものとなっている。

モルチネクはそれ〔シャルレイ〕を産業王ゴドゥラ、彼の遺産相続人ヨアンナ・グリスチック（坑は彼女にちなんで名づけられる）、彼女の夫君シュラフゴッチュ伯と関連づけた。シャルレイは労働者を殺し、坑道を埋没させ、それにより資本主義の繁栄を脅かす。それ〔シャルレイ」は不合理な搾取、破壊的な社会制度の幽霊なのである。[35]

永久不変の中心テーマは、無慈悲な破壊者であり、炭鉱の中へ引き入れられた空疎なイデオロギーの権化であり、苦役の悪魔である山の妖怪シャルレイとの闘いである。鉱夫がそれを恐れる限り、それは力をもつ。プロレタリアートの成熟とともにその命はつきる。小説は「新しい人間たち」という章で終わる。[36]

社会主義リアリズム作家であったモルチネクが、「プロレタリアートの資本主義との闘い」と「プロレタリアートの成熟」に大きな関心を寄せていたのは確かだとしても、本作のシャルレイには、そうしたイデオロギーの枠にとどまらない特徴がある。次節は、精霊、鉄道、多言語状況の描かれ方を通して、シレジアの炭鉱文化と、周辺地域の文化、ないしヨーロッパ文化とのつながりを明らかにする。

地下の世界

シャルレイは、地下の宝と炭鉱で死んだ鉱夫の魂を守る精霊で、十七世紀のラテン語で書かれた最古のシレジア文学のひとつ、*Officina ferraria*（一六一二）に初出する。[37] ポーランド語圏では、地域によってスカルブニク、あるいはスカルベクとも呼ばれる。[38] 白いひげを生やし平織りの厚手のローブをはおり、鉱夫の格好で現れることもある。犬やネズミや黒猫など動物の姿で現れた時には火事を警告しており、食べ物を分けたりするとお返しに仕事を手伝ってくれたり、贈り物をくれたりする。しかし、シャルレイのお返しというのは、「今後は仕事をせずともよい」等、善行を受けた者にとって遂行が難しいこともある。シャルレイは恐ろしく執念深い精霊で、地下探訪者には様々な財宝を見せてくれるが、その視察を早く済ませて帰ってこないと非情な罰を下す。鉱夫が地下通路にバツ印をつけると、シャルレイが炭鉱を水浸しにする、地下で大きな物音をたてると、シャルレイが悪さをする等、鉱夫の世界にはこの精霊にまつわる様々な伝説がある。[39]

本小説において、シャルレイは複数の次元を自由に行き来し、同時に複数の機能を担っている。たとえば、「おそらく坑道にシャルレイはもういない」という冒頭の一文を見てみよう。この文は、「今日ではもう、ヨアンナ坑のシャルレイの昔話を信じる者はいないだろう」と形を変え、地の文の各所に現れる。ところが、古参の鉱夫は新参者にむかって、坑道に潜むシャルレイに用心するよう、しばしば諭す。ナチス占領下で、ポーランド人鉱夫らが妨害工作用の火薬や予備ランプの隠し場所として利用している暗い坑道は、「シャルレイの小道」と呼ばれ、小金欲しさにドイツ人総支配人のスパイとなった若い鉱夫サンタリウスは、この小道で暗殺される。

サンタリウスに「シャルレイに首をもがれるぞ」と警告する老人がそうであるように、シャルレイは老鉱夫の間で息づく文化であり、若い世代に属するサンタリウスも、そうした警告を受けると「一瞬背筋が凍る思いをする」。シャルレイは、鉱夫たちが世代を超えて共有する炭鉱文化の象徴であり、それゆえに対ドイツ・イデオロギーの道具としても有効性をもつ。シャルレイは、妨害工作や暗殺が、「我々」の敵であるドイツ人とその追従者にばれないように力を貸してくれる存在であり、「我々」はシャルレイを「隠れ蓑」にすることができる。

しかし、シャルレイがイデオロギーの道具という役割を担うのは、ポーランド人鉱夫が対独闘争を繰り広げる章においてのみで、本小説を貫くのはむしろ、シャルレイ、カルヴィン炭鉱（上シレジアの炭鉱の最南端からチェコのモラヴィア地方へ広がる）のプステツキといった「大地の精霊」たちが血縁関係にある、という世界観だ。

> プステツキを見た者は、とっくに死んでいた。たて続けに死んだ、あの年寄りの爺さんや年金生活者同様に。彼らは新参者にむかって、ヨアンナ坑には大地の精霊がうろついていると断言したものだ。ベスキディ山脈の毛深い賢者（ヴィエルグワ）たちの元からそれ〔大地の精霊〕を連れてきたのは彼らの祖先だったが、その賢者たちは、古い羊皮紙の屑や、父から息子、つまり、富農からすかんぴんの盗賊に手渡された遺書の中に、それ〔大地の精霊〕を発見し掘り出した。大地の精霊は、モラヴィア方言や曲がりくねったゴシック体で記録され、魔法使いの呪文という光輝に

包まれていたので、ヨアンナ坑に定住することができなかった。大地の精霊がやってきたのは、方言を話す人々が槍やとがった棒のようなものを使って岩石を砕き、せまい横坑道を通って竪坑奥へ入っていった、何だったか難しい専門用語で呼ばれる時代だった。それはやって来て、やがてシャルレイ、スカルブニク、プステツキによって駆逐され、去って行った。[40]

ベスキディ山脈は、ポーランドとスロヴァキアの国境に横たわる広大な山岳地帯で、豊かな自然と水、土着の文化で知られる。右の引用で大地の精霊は、世代から世代へ継承される炭鉱文化の一部としてだけでなく、ベスキディ山脈からシレジアに伝承された伝説上の生き物として描かれている。モルチネクは、この民間伝承の成立と伝播に言及することで、大地の精霊が特定の土地に定住することのない、雑種的な存在であることを印象づける。しかも、精霊伝説は、口承文化としては地域同士を結ぶが、いったん文字化されると、異言語・異文化圏のものとなり、駆逐されかねない。このように、本作で精霊は地域と地域を結び／分かつ存在として描かれる。

精霊には、過去と現在を結ぶ、いわば歴史を縦断する性格も付与されている。シレジアの老鉱夫の語りの中では、精霊の伝説も歴史上の人物についての昔話と同等に扱われる。

老鉱夫らは、彼〔ヨアンナの夫シュラフゴッチュ伯〕のことはあまり覚えていなかった。しかし、彼らの中には祖父から聞いたおぼろげな思い出話が保存されていた、寒い冬の夜、ぱちぱちと音をたてる小型ストーブ(モルチネク)のそばで語られたそれらの話の中で、記憶はもう歪められ、ひどく損なわれ、シレジアの伯爵家に仕える下男の、矮小化するシレジア的ファンタジーによって、どうにか継ぎあてされていた(41)。

引用箇所の「小型ストーブ」には、「モルチネク」という語があてられている。「モルチネク」は口語で、しばしば三本足の、鉄製の簡素な薪ストーブを意味する。一般的には暖炉・かまど・ストーブを指す「ピェッ piec」、あるいはその指小形のピェツィク piecyk が最もよく用いられるが、口語ではコザ koza (「雌ヤギ」の意) が使用されることもある。作者は自身の名前でもある「モルチネク」を用いることにより、「つぎはぎだらけの物語」が、まさに「小型ストーブ/私」のそばで語られたことを示す。「私」という聞き手兼語り手の存在を介して、伝説と昔話と現実の境界は曖昧になる。

このように本作のシャルレイは、イデオロギーの権化以外の様々な役割を担い、シレジアやシレジア炭鉱のイメージを特定の言語・文化圏、時代の外に開いている。民族闘争や階級闘争の神話化の要素ではあるが、時空間を跨ぐ機能により、求心力にずれを生じさせている。

鉱夫にとって、地下とはどんな世界だったのか。「ヨアンナ坑」の「坑」は、採炭のために地下数十メートルから数百十メートルにわたって垂直に掘られた竪坑をさす。「ヨアンナ坑」は一八五八年八月、上シレジアのザブジェ（ドイツ名：ヒンデンブルク）に掘られた、ゴドゥラ炭鉱の鉱床アルノルドの竪坑のひとつだった。この鉱床にあった六つの竪坑には「ヨアンナ」「アウグスト」「ルイーズ」など聖人の名前がつけられていた。鉱夫の安全を祈願して聖人の名前を付けるという習慣は、ヨーロッパ文化圏で共通というわけではないようだが[42]、鉱夫同士の挨拶が「達者で」だったことからも明らかなように、死の危険と隣り合わせの炭鉱において、坑道は、移動ルートという実用的な機能だけではなく、安全に地上へ帰還するための脱出路としての神話的な機能を帯びていた。

『ヨアンナ坑』には、地下から地上へ、という移動の方向性が鉱夫の意識に刷り込まれていることを暗示した箇所がある。サボタージュ・妨害工作の中心人物である機械工のクデラが、スパイのサンタリウスと対決するシーンだ。サンタリウスが武器貯蔵庫の場所を突き止めるため地下へ入った、という噂を耳にしたクデラは、慌てて「地下三階から地下一階へ向かう」。サンタリウスは直前まで総支配人の部屋で内談しているのだから、地上から地下へと下降していくのが自然なはずだが、クデラの視点で語られる一ページ足らずの追跡シーンの中で、「彼〔サンタリウス〕は上へ向かって行った」という文章が、若干言葉遣いを変えながら、三度も繰り返されている。『亜鉛は金になる』のプロローグにあった「地下は、死者のためにある」という一節が示すように[43]、鉱夫にとって地下の世界は、基本的に死が支配する世界である。そこでは、自分たちの命を守るのに必要なものが擬人化される。『ヨアンナ坑』に頻出する炭鉱専門用語においても、採掘後地下の空洞に残された坑道が「足」と呼ばれ、多くの支柱が残った採掘後の空洞は「臓器」と呼ばれる。「足」や「臓器」は、岩盤の崩落を防ぎ、鉱夫の安全を確保するために残しておかなければならないものである。坑道や採掘場という本来の機能を終えたという意味では「死んだも同然」の空間だが、それでも人間にとって必要不可欠なものとして残される。再利用という形で新たな機能性を担うのではなく、死と生を相互補完的なものとして捉えることで、死を活かす。有機的なイメージの名前がついた炭鉱設備は、炭鉱の精霊と似た機能を果たしてはいないだろうか。

上シレジア・イメージに欠かせない産業化・技術という要素に注目するならば、本作品においてもっとも量が多いのは「機関車 lokomotywa」についての記載である。物語の大部分が地下で展開する本作においては、機関車も地下を走る。機関車は産業化・近代化の象徴として機能しつつも、場面によっては以下のように神話化されている。

かくしてイグナツィ・クリシュは仕事へ連れていかれ、ヨアンナ坑での仕事を新たに振り当てられた。彼は老鉱夫ミヘイダの相棒になって誇らしく、溝を走る機関車をじっと見つめた。ヘッドライトをぎょろつかせ、霧の中から姿を現したのは、背の低い、ずんぐりむっくりの怪物だった。丸天井から水色の火花をまき散らしながら、車両をロザリオのごとく長々と引きずり、全速力で走っていた。列車は、竪坑の足場の間で待っている彼らの周りを一巡し、突風を吹きかけて視界を奪い、その威力で麻痺させた。(44)

モルチネクの文学におけるロマン主義的な性格はすでに指摘されているが、右記の引用箇所では、機関車が怪物に譬えられている。「ぎょろつかせる」「背の低い」「ずんぐりむっくり」といった形容詞は、ややコミカルな風情の精霊をも連想させる。

炭鉱施設を精霊ないし怪物に譬える表現が、一九五〇年代のポーランド社会主義リアリズム文学において用いられた背景に、二十世紀初頭ポーランド語に訳されたゾラの『ジェルミナール』(一八八五。ポーランド語訳：一九〇六年、ルヴフ)の影響をみることもできる。モルチネクの故郷チェシン地方は、オーストリア＝ハンガリー帝国に属しており、二十世紀初頭はガリツィア、とくにクラクフとルヴフを中心とする流通網の中にあった。同書は、社会主義ポーランドでは社会主義リアリズム文学の良書とはみなされなかったが、モルチネクが同書を読んでいた可能性は高い。いずれにしても、文学作品が異言語へ翻訳され国際的に流通する中で、炭鉱の神話的イメージが様々な差異やずれを抱え込みながら変容したことは確かであろう。モルチネクの描く機関車は、ただの技術・産業化を象徴する手段ではなく、地下という死の世界に吹き込まれた生命の息吹であり、死の世界で鉱夫を見守る精霊と同一視されることによって、生と死を内包する有機的性格を帯びているのである。

標準語と拮抗するシレジア方言

「シュレージエン文学」にも、ショルティスの『東の風』のように、方言を使用してシレジアの多言語性を描いた作品は存在する。しかし、そこで用いられる「ヴァッサーポールニッシュ」（直訳すれば「水で薄まった、崩れたポーランド語」の意）は、他の登場人物にとって「理解できない言語」とされている。また、注釈ぬきで引用されるので、読者にも理解できない。ショルティスはその「理解不可能性」に音楽性を見出し[45]、作家ロベルト・クルピウムは、「ヴァッサーポールニッシュ」を話す登場人物に、近代化された世界と未開／野蛮の世界を仲介し、ドイツ人とポーランド人の相互理解を促す役割を担わせた[46]。いずれの例においても、「ドイツ語」「ポーランド語」「理解できない言語＝ヴァッサーポールニッシュ」は各々独立したものとして並列されている。

一方、『ヨアンナ坑』において、シレジアの多言語状況はきわめて複雑かつ多層的に描かれている。登場人物の方言の使用頻度はかなり高いが、モルチネクはそのほとんどに注釈をつけていない。

加えて、炭鉱施設内の通路や空間の名称などには、炭鉱専門用語が使用されている。炭鉱専門用語は方言や社会環境の影響も受けている。[47]

しかし、ポーランド語読者の大半にとって読みの妨げとなりうるこうした要素は、一体何のために付与されているのか。本稿ではこの問いを、モルチネクの文学における炭鉱専門用語の様式化について論じたオバラの論文[48]に依拠しながら考察してみたい。オバラはいくつもの論点を提供しているが、ここではとくに、炭鉱専門用語、異言語、方言の混在と、標準ポーランド語と方言の関係、という二点に注目する。

第二次世界大戦後のアルノルド鉱床は、移民の流入と言語の混合により、「複数の方言から成る一風変わったバベルの塔[49]」と化す。第二次世界大戦後リールからやって来たフランス人鉱夫が話す「フランス語とポーランド語の混成語」は、読者にはもちろん、会話している相手さえ完全に理解することができない。しかも、彼が会話の端々に挟み込む（本人にとっては外国語であるポーランド語の）炭鉱専門用語は、わかりやすく話そうという本人の意図とは裏腹に、話の内容をますます混乱させ、文の構造を雑種化してしまう。

フランス人鉱夫の話すこの混成語は、教養ある鉱山技師の「ドイツ語の技術専門用語に侵食されたシレジア方言」と見事なコントラストを成している。鉱山技師は、シレジア方言で「文語的に」「あらゆる竪坑における合理化」について話す。彼には、「ボーリング（地中に深い穴を掘ること）

の新システムと、新しい労働方法を導入」すれば、「遅かれ早かれ、知的革命の最終段階が達成される、ということが分かっていた[50]」とある。

しかし、多言語コミュニティの炭鉱専門用語には、標準語としてのポーランド語が混じるだけではない。炭鉱専門用語は注釈なしに鉱夫同士の会話の中で用いられることも多く、その場合は、鉱夫という特定の社会層が用いる方言（社会方言）が多く混じることになる。鉱夫の社会方言としての炭鉱専門用語は、たとえば、炭鉱技師や監督は使わない。鉱夫の「社会方言」として用いられる語彙が、シレジア方言話者の会話の中で、シレジア方言と混ざるケースもある[51]。

モルチネクが描く多言語状況は、標準語と方言を対立させるのでも、並列させるのでもない。ポーランド語と非ポーランド語の対立／並列でもない。モルチネクは、人々や土地の暮らしに息づく「ことば」の中に、幾重にも折り重なる層を見ている。リールから来たフランス人鉱夫の話す混成語に混じっているのは、少なくとも標準ポーランド語であるはずだが、その「つぎはぎ状」のことばを理解するのは反って難しい。他方、シレジア方言は（その内容を完全に理解することは難しくても）、語彙の豊かさのみならず、思想や技術革新について語るだけの言語的構造をもった、成熟した「ことば」として描かれている。

こうした描き方の背景にあるのは、ポーランド語文化圏におけるシレジア文化やシレジア方言のイメージである。上シレジアはポーランド領に併合された一九二一年以来、「資源は豊富だが政治・

社会・文化の各方面で多くの課題が残る、文化的水準の低い地域」とみなされ、シレジア方言は標準語に劣るものとされた。社会主義リアリズムという政治的イデオロギーのもとではあるが、シレジア方言を標準ポーランド語と肩を並べるものとして描くことは、モルチネクにとって文学的かつ政治的な課題だったと考えられる。

おわりに

本稿は、『亜鉛は金になる』と『ヨアンナ坑』を、「精霊」「鉄道」「多言語性」に着目して比較してきた。これらの作品は、各々が書かれた時代の政治的イデオロギーの影響を強く受けつつも、各文化圏に根強く残る上シレジア・イメージに揺さぶりをかけたり、変化を与えたりしている。『亜鉛は金になる』のプロローグは、たしかに「上シュレージエン文学」の堅固な二項対立に基づき、「迷信や伝説の世界の生き物」として「精霊」を位置づけているが、ロマン主義的な憧れも喚起する。二項対立に揺さぶりをかけるというのは言い過ぎだろうが、二つの文化圏・階層を跨ぐ存在としてヨアンナを描くことで、「文化的後進性」という上シレジア・イメージはやや緩和される。他方、『ヨアンナ坑』の「精霊」には複数の機能がある。炭鉱コミュニティの文化的結束点としての機能、「口承文化の伝播」を通してシレジアからベスキディ山脈に至る空間的広がりを印象づける機能、鉱夫の紡ぐ物語の中で、現実と空想の境界を拭い去る機能である。

鉄道というモチーフは、両作品で基本的に技術・産業化の象徴として写実的に描かれるが、『亜鉛は金になる』では、ロマン主義の「旅・冒険」というトポスと結びつき、『ヨアンナ坑』では精霊のイメージに重ねられている。いずれにしてもリアリズムの手法が、ロマン主義文学と結びつく例である。

両作品の違いは、多言語状況の描き方において際立つ。『亜鉛は金になる』の多言語性は、国境地帯で様々な言語が飛び交う様子を描くという域を出ないが、『ヨアンナ坑』では、シレジア方言や炭鉱の専門用語を織り交ぜることで、多層的な言語空間を表出させている。しかも方言は、日常語としてだけでなく、政治的課題や高度な技術についての議論に対応しうる語彙と構造をもった「ことば」として描かれている。標準語と拮抗する「ことば」としてのシレジア方言は、既存の言語的ヒエラルキーを転覆させる可能性を秘めている。

政治と文化の複雑な関係は、『亜鉛は金になる』の出版事情からも伺い知ることができる。ベルリンとシレジア間のヒエラルキーは、ナチスの政治的イデオロギーの産物である「郷土文学」というジャンルを介して、表面的に均されたかのようにみえ、そこでは「求心力」と「遠心力」が相互補完的な関係を築いている。

「鉱物資源は豊富だが、経済的にも文化的にも後れた地域」という、旧来の上シレジア・イメージは、こうした政治・文化の力学に晒されることによって、ずらされたり、変化したりしている。今日ヨーロッパ文化圏で、トカルチュク等のシレジア出身作家が活躍するトポスも、同時代のポーランド語文学、あるいは世界文学という文脈だけではなく、シレジア表象という通時的な文脈で論じていく必要があるだろう。

【註】

（1）　日本語では、「高シレジア」「上部シレジア」と表記されることも多く、ドイツ語では「オーバーシュレージエン」と称される。本稿では「上シレジア」で統一した。

（2）　二〇一八年のノーベル文学賞を受賞したオルガ・トカルチュクの初期作品『プラヴィエクとその他の時代』や『昼の家、夜の家』は、シレジアの流動性や断片性と、現代世界の「うつろいやすさ」や「決定不可能性」とを重ねて描き出している。『昼の家、夜の家』（小椋彩訳）、白水社、二〇一〇年。『逃亡派』（小椋彩訳）、白水社、二〇一四年。『プラヴィエクとその他の時代』（小椋彩訳）、白水社、二〇一九年。

（3）　Kamila Gieba et al. (red), *Kolej na kolej. Pociąg, dworzec, poczekalnia w literaturze i refleksji humanistycznej*, Zielona Góra: Uniwersytet Zielonogórski, 2015; Tomasik, Wojciech, *Ikona Nowoczesności. Kolej w literaturze polskiej*, Toruń: Wydawnictwo Naukowe Uniwersytetu Mikołaja Kopernika, 2015; *Idem.*, *Szalony bieg. Kolej i ciemna nowoczesność*, Warszawa: Instytut Badań Literackich PAN, 2015; Bachórz, Józef i Alina Kowalczykowa, *Słownik literatury polskiej XIX wieku*, Wrocław : Zakład Narodowy Imienia Ossolińskich, 1991, pp.698-703.

（4） Mahr, Johannes, *Eisenbahnen in der deutschen Dichtung. Der Wandel eines literarischen Motivs im 19. und im beginnenden 20. Jahrhundert*, München: Wilhelm Fink Verlag, 1982, pp. 156-160.

（5） Nell, Werner, „Die Heimaten der Vertriebenen—Zu Konstruktionen und Obsessionen von Heimatkonzepten in der deutschsprachigen Literatur nach 1989", In: Gansel, Carsten und Elisabeth Herrmann (Hrsg.), *Entwicklungen in der deutschsprachigen Gegenwartsliteratur nach 1989*, Göttingen: V&R unipress, 2013, pp.151-172.

（6） Zieliński, Andrzej, *Polskie podróże po Śląsku w XVIII i XIX wieku (do 1863 r.)*, Wrocław/Warszawa/Kraków/Gdańsk: Zakład Narodowy Imienia Ossolińskich, 1974.

（7） カール・フォン・ホルタイ（一七九八—一八八〇）はシレジア方言とドイツ語の詩人であるとともに、シレジア方言詩の収集家（『シレジアの詩』、ベルリン、一八三〇）である。ゲルハルト・ハウプトマン（一八六二—一九四六）の『織工』（一八九二／九三）はもともとシレジア方言で書かれたが、翌年作者の手でドイツ語に翻訳・上演された。

（8） マックス・ベルク、ハンス・ペルツィヒ、アウグスト・エンデルなど。Joachimsthaler, Jürgen, „Dworzec kolejowy z gabinetami rozkoszy. Wrocław jako motyw górnośląskiej literatury od przełomu wieków", In: Kopij, Marta et al. (red.), *Wrocław literacki*, Wrocław: ATUT, 2007, p.306.

（9） Nowak, Hans, *Zink wird Gold. Ein Roman des wirklichen Lebens*, Breslau: Bergstadtverlag Wilh.Gottl.Korn, 1937; Nowak, Hans und Georg Zivier, *Zink wird Gold*, Diedorf/Nürnberg: Oberschlesischer Heimatverlag/Helmut Preußler Verlag, 1982. 引用ページ数は後者による。

（10） Lubos, Arno, *Geschichte der Literatur Schlesiens*, II Band, München: Bergstadtverlag Wilh.Gottl.Korn, 1967, p.224.

（11） Szewczyk, Grażyna, „Zum Heimatverständnis Oberschlesischer Autoren im 19. und 20. Jahrhundert", In: Orłowski,

Hubert (Hrsg.), *Heimat und Heimatliteratur in Vergangenheit und Gegenwart*, Poznań: New Ton, 1993, p.70.

（12）　Nowak, Hans und Georg Zivier, *Zink wird Gold*, op.cit., pp.87-88.

（13）　邦訳は以下を参考に適宜改変した。ハンス・ノーヴァク『亜鉛』（ドイツ文化研究会、藤田五郎訳）、天然社、一九四三年。Nowak, Hans und Georg Zivier, *Zink wird Gold*, op.cit., p.27, p.71.

（14）　*Ibid*., p.50.

（15）　「イギリスの取引所は混乱に陥った。東インドの市場にさえ上シレジアの亜鉛がストックされていたからだ。」*Ibid*., p.88.

（16）　ブレスラウからやってくるこの動物展覧所は、上シレジアの景気が上向き、ヨーロッパ的な「娯楽イベント」を招聘できるようになった喜びの象徴として描かれているが、ブレスラウ動物園は、約八十年後の一八七四年から「人間動物園」の展覧が行われていたことでも有名である。ヴロツワフの「人間動物園」については以下の論文を参照。Joachimsthaler, Jürgen, „Dworzec kolejowy z gabinetami rozkoszy. Wrocław jako motyw górnośląskiej literatury od przełomu wieków“, op.cit., p.308.

（17）　十九世紀後半シレジアでは、複数言語を使用する知識人――民俗学者ユゼフ・ロンパや詩人アウグスト・ホフマンら――により、ポーランド語民謡の収集・編纂が盛んに行われた。小学校教師でもあったロンパはポーランド民族文化と民族意識の最初の普及者として知られ、民衆の心に民族意識を育てるべく、大衆向けのパンフレットを出版した。ステファン・キニェーヴィチ『ポーランド史２』（加藤一夫・水島孝夫訳）、恒文社、一九八六年、八四頁。

（18）　*Ibid*., p.109.

（19）　Lubos, Arno, *Geschichte der Literatur Schlesiens*, II Band, op.cit., p.221.

(20) Nowak, Hans und Georg Zivier, *Zink wird Gold*, op.cit., p.37.

(21) シレジアで鉄道敷設が盛んに行われた時期は、織工蜂起（一八四四）、大飢饉（一八四七）、上シレジアでのチフス流行の時期と重なっている。

(22) Wrzesiński, Wojciech (red.), *Dolny Śląsk. Monografia historyczna*, Wrocław: Wydawnictwo Uniwersytetu Wrocławskiego, 2009, pp.436-437.

(23) 上シレジアの鉄道は民間資本で建設された狭軌の「副次的鉄道」だった。

(24) Dominas, Przemysław, *Kolej w prowincjach poznańskiej i śląskiej. Mechanizmy powstawania i funkcjonowania do 1914 roku*, Łódź: Księży Młyn, 2013, pp.40-50.

(25) Nowak, Hans und Georg Zivier, *Zink wird Gold*, op.cit., p.189.

(26) *Ibid.*, p.5-6. 藤田氏による翻訳ではこのプロローグは省略されている。

(27) Kunicki, Wojciech, „"Ostwind" von August Scholtis. Das Bild einer Provinz zwischen Deutschland und Polen. Das Bild eines Kunstwerkes zwischen Alternativen. Das Bild eines Autors zwischen allen Stühlen", In: Feindt, Hendrik (Hrsg.), *Studien zur Kulturgeschichte des deutschen Polenbildes 1848-1943*, Wiesbaden: Harrassowitz Verlag, 1995, pp.194-212. とくに pp.206-208 参照。

(28) 一八五八年直後というのは、ポーランド史において、農地改革運動と民族独立の気運が高まった時期である。クリミア戦争（一八五四—五六）の敗北によりロシア帝国のツァーリ体制が弱体化し、ポーランド王国の賦役労働制が危機に陥り、ワルシャワではデモが過激化し、戒厳令が敷かれた（一八六一）。国際情勢の不安定化も、ポーランドで長らく抑え込まれていた民族独立の希望を再燃させる引き金になった。ただし、同時代の政治動向が当時の上シレジアにどの程度影響を及ぼしたのかという点について、本小説では一切言及がなく、上シレジアの人々がただヨアンナの嫁入りに沸き返る描写で終わっている。ステファン・キニェーヴィチ、『ポーランド史2』、一二二—一四二頁。

(29) Kunicki, Wojciech, *...auf dem Weg in dieses Reich. NS-Kulturpolitik und Literatur in Schlesien 1933 bis 1945*, Leipzig: Leipziger Universitätsverlag, 2006, pp.148-157.

(30) *Ibid.*, p.157.

(31) *Literatura polska XX wieku. Przewodnik encyklopedyczny*, Warszawa: Wydawnictwo Naukowe PAN, 2000, p.435.

(32) 「シロンスク学」の第一人者であるヒエロフスキは、シレジアのポーランド語文学においてモルチネクに並ぶ者はいない、と断言している。Hierowski, Zdzisław, *Życie literackie na Śląsku w latach 1922-1939*, Katowice: Wydawnictwo „Śląsk", 1969, pp.236-258.

(33) Lubos, Arno, *Geschichte der Literatur Schlesiens*, III Band, op.cit., p.541.

(34) *Ibid.*, p.543.

(35) *Ibid.*, p.545.

(36) *Ibid.*, p.544.

(37) これは鉱山冶金管理者ヴァレンティ・ロジジェンスキによるバロック詩である。「それらの魂のうちのふざけたやつがリゼンベルク山の付近に現れ、人々をからかった。恐ろしい姿で人々に近づいたが、誰にも害を及ぼさなかった。」cf. Kopaliński, Władysław (red.), *Słownik mitów i tradycji kultury*, Warszawa: Państwowy Instytut Wydawniczy, 1985, p.1072.

(38) チェシン地方では「プステツキ」、上シレジアのビトムでは「シャルレイ」等、地域によって名称は異なる。総称としては「炭鉱の精霊」「大地の精霊」が用いられる。インターネット上の情報によれば、精霊の多くが良い面ももつのに対し、シャルレイは例外的に「悪賢く執念深い悪魔」で、十六世紀人間が銀を掘りつくそうとしたことに憤り、地下の坑道に水を流したり、炭鉱夫を脅したりするなど嫌がらせをした、とある。http://www.bajkowyzakatek.eu/2012/09/polskie-legedndy-szarlej-demon-kopalni.html（2019.8.28）

（39）Kopaliński, Władysław (red.), *Słownik mitów i tradycji kultury*, op.cit.; Krzyżanowski, Julian (red.), *Słownik folkloru polskiego*, Warszawa: Wiedza Powszechna, 1965, p.378.

（40）Morcinek, Gustaw, *Pokład Joanny*, Warszawa: Wydawnistwo Gebethnera i Wolfa, 1950, p.258.

（41）*Ibid.*, p.259.

（42）たとえば、エミール・ゾラの民衆小説『ジェルミナール』（一八八四―八五）で描かれる炭鉱の坑道には、ヴォルー、ヴィクトワール、クレーヴクールといった名前が付けられている。

（43）Nowak, Hans und Georg Zivier, *Zink wird Gold*, op.cit., pp.5-6.

（44）Morcinek, Gustaw, *Pokład Joanny*, op.cit., p.207.

（45）Kunicki, Wojciech, „”Ostwind” von August Scholtis. Das Bild einer Provinz zwischen Deutschland und Polen. Das Bild eines Kunstwerks zwischen Alternativen. Das Bild eines Autors zwischen allen Stühlen“, op.cit.

（46）ドイツ人らしい合理性や几帳面さをもち合わせながらポーランド姓を名乗る等、性格と民族性が一致しない登場人物が、こうした役割を担う。Scholz, Joachim, „Die oberschlesische Grenzlandliteratur des Robert Kurpiun“, In: Scholz, Joachim (Hrsg.), *Breslau und die oberschlesische Provinz. Literarische Studien zum Umfeld der Beziehung*, Berlin: Gebr. Mann Verlag, 1995, pp.71-90.

（47）炭鉱専門用語の一部は、作家本人によって語彙集として巻末にまとめられている。これは方言の影響を受けていない純粋な標準「炭鉱専門用語」ということになるのだろうか。ただし、語彙集にまとめられているのは、小説内で使用される専門用語のほんの一部にすぎない。その内容を完全に理解できるポーランド語読者はほとんどいないだろう。

(48) Obara, Jerzy, „Stylizacja gwarowa i środowiskowa w twórczości Gustawa Morcinka", In: http://www.ifp.uni.wroc.pl/data/filies/pub-9011.pdf (2019.8.20)

(49) Morcinek, Gustaw, *Pokład Joanny*, op.cit., p.439. もっともこの社会主義リアリズム小説では、このコミュニティは決定的な意思疎通の断絶や組織の混乱に陥ることなく、「無意識のうちに出来上がった炭鉱の団結力」によって、鉱山の安全性を向上させ生産量を増大させるという目標を達成する。

(50) *Ibid.*, p.469.

(51) Obara, Jerzy, „Stylizacja gwarowa i środowiskowa w twórczości Gustawa Morcinka", op.cit., p.133. 社会方言がシレジア方言に混ざる例は、モルチネクの『石炭の歴史』という別の小説から引用されている。

＊ 本研究はＪＳＰＳ科研費「15H03193」の助成を受けた。

編者／執筆者について――

井上暁子（いのうえさとこ）　一九七五年、東京都生まれ。東京大学大学院総合文化研究科博士課程単位取得満期退学。博士(文学)。現在、熊本大学文学部准教授。専門は、ポーランド語圏を中心とした中・東欧文学。主な著書に、『東欧地域研究の現在』(共著、山川出版社、二〇一二年)、『反響する文学』(共著、風媒社、二〇一一年)などがある。

＊

三谷研爾（みたにけんじ）　一九六一年、京都府生まれ。大阪大学大学院文学研究科博士後期課程中途退学。博士(文学)。現在、大阪大学大学院文学研究科教授。専門は、ドイツ・オーストリア文学、中欧文化論。主な著書に、『世紀転換期のプラハ――モダン都市の空間と文学的表象』(三元社、二〇一〇年)、『境界としてのテクスト――カフカ・物語・言説』(鳥影社、二〇一四年)などが、主な訳書に、マーク・アンダーソン『カフカの衣装』(共訳、高科書店、一九九七年)などがある。

阿部賢一（あべけんいち）　一九七二年、東京都生まれ。東京外国語大学大学院博士後期課程修了。博士(文学)。現在、東京大学人文社会系研究科准教授。専門は、中東欧文学、比較文学。主な著書に、『複数形のプラハ』(人文書院、二〇一二年)、『カレル・タイゲ――ポエジーの探求者』(水声社、二〇一七年)などが、主な訳書に、ボフミル・フラバル『わたしは英国王に給仕した』(河出書房新社、二〇一〇年)、ヴァーツラフ・ハヴェル『力なき者たちの力』(人文書院、二〇一九年)などがある。

藤田恭子（ふじたきょうこ）　一九五八年、神奈川県生まれ。上智大学大学院文学研究科ドイツ文学専攻博士後期課程単位取得退学。博士(国際文化)。現在、東北大学大学院国際文化研究科教授。専門は、ドイツ語圏文化・文学研究、比較文化論、マイノリティ文化論。主な著書に、『「周縁」のドイツ語文学――ルーマニア領ブコヴィナのユダヤ系ドイツ語詩人たち』(東北大学出版会、二〇一四年)などがある。

越野剛（こしのごう）　一九七二年、北海道生まれ。北海道大学大学院文学研究科博士課程単位取得退学。現在、東京大学人文社会系研究科スラヴ語スラヴ文学研究室助教。専門は、ロシア・ソ連文学。主な編著書に、『社会主義文化における戦争のメモリースケープ』(共編、北海道大学出版会、二〇一九年)、『ベラルーシを知るための五〇章』(共編、明石書店、二〇一七年)などがある。

東欧文学の多言語的トポス

二〇二〇年三月一日第一版第一刷印刷　二〇二〇年三月一〇日第一版第一刷発行

編者――井上暁子

執筆者――三谷研爾＋阿部賢一＋藤田恭子＋越野剛＋井上暁子

装幀者――宗利淳一

発行者――鈴木宏

発行所――株式会社水声社

東京都文京区小石川二―七―五　郵便番号一一二―〇〇〇二

電話〇三―三八一八―六〇四〇　FAX〇三―三八一八―二四三七

［**編集部**］横浜市港北区新吉田東一―七七―一七　郵便番号二二三―〇〇五八

電話〇四五―七一七―五三五六　FAX〇四五―七一七―五三五七

郵便振替〇〇一八〇―四―六五四一〇〇

URL：http://www.suiseisha.net

印刷・製本――ディグ

ISBN978-4-8010-0476-4